SERIE DEBATES

La Mujer Fragmentada: Historias de un Signo

LUCIA GUERRA

LA MUJER FRAGMENTADA:

HISTORIAS DE UN SIGNO

EDITORIAL CUARTO PROPIO

LA MUJER FRAGMENTADA:
HISTORIAS DE UN SIGNO

© Lucía Guerra
Inscripción N° 94.456
I.S.B.N. 956-260-079-3

Editorial CUARTO PROPIO
Keller 1175, Providencia, Santiago
Fonos: 2047645-2047622 - Fax: 2047622

IMPRESO EN CHILE / PRINTED IN CHILE
Noviembre 1995

Pero la mujer nunca llega a ser un signo y nada más pues aún en el mundo del hombre, ella es todavía una persona y, en el momento mismo en que es definida como un signo, pasa también a ser reconocida como matriz generadora de signos.

Claude Lévi-Strauss

Parece innegable que ésa es la franja nebulosa en la cual el hombre ha situado a la mujer: entre la aspiración a un paradigma y el temor a una realidad imprecisa.

José Lorite Mena

El rechazo y la exclusión de un repertorio imaginario femenino ciertamente pone a la mujer en la posición de experimentarse a sí misma sólo de manera fragmentaria en los márgenes poco estructurados de una ideología dominante como desperdicio, como exceso, como aquello que queda de un espejo investido por el sujeto (masculino) para reflejarse a sí mismo.

Luce Irigaray

INDICE

EJES DE LA TERRITORIALIDAD PATRIARCAL

*La vida es tan sencilla, a un lado los
hombres y al otro lado las mujeres.*
Rey de corazón, film de Philipe de Broca.

En los sistemas tradicionales de simbolización, la oposición "derecha"-"izquierda" es equivalente a la dicotomía entre el bien y el mal, la fortaleza y la fragilidad, la potencia y la impotencia. Así, entre las prácticas homeopáticas de los aztecas, ha quedado registrado el hecho de que los malhechores robaban de la tumba el brazo izquierdo de una mujer que hubiera muerto durante el parto, con el fin de utilizarlo como instrumento mágico para inmovilizar a los habitantes de la casa que planeaban saquear. Al entrar, los ladrones golpeaban el suelo de dicha casa con el brazo robado y, según las creencias de la cultura azteca, este maleficio los hacía caer en un estado de inconsciencia que les impedía la capacidad para moverse o hablar y, en una condición de muertos en vida, sólo podían oír y ver mientras se los despojaba de sus bienes.[1] Tanto la pérdida de la conciencia como el hecho maligno son, en esta práctica, atribuidos a lo izquierdo en la dicotomía *dexter: laevus*, como equivalente de *bonus: malus*. Por otra parte, resulta significativo el hecho de que el Bien y el Mal, en la tradición cristiana, reitere esta asociación de la derecha como sinónimo del Bien y de la izquierda como su opuesto; así, por ejemplo, en la crucifixión, será el ladrón a la diestra de Jesucristo quien se redimirá mientras aquél a su lado izquierdo, lo increpa y no se arrepiente de sus pecados. Esta delimitación espacial y simbólica del Bien y del Mal se da incluso en una de las acciones más significativas de la liturgia cristiana, la persignación en nombre de la cruz en la cual se atribuye al hombro derecho el milagro de la ascensión de Jesucristo quien reina en los cielos al lado del Padre y el Espíritu Santo, a cuya diestra permanecen los justos mientras el hombro izquierdo simboliza la condenación de los pecadores, el día del Juicio Final.

Dentro de este contexto, podría parecer superficial la costumbre aún vigente de coser los botones en el borde derecho de la ropa de los hombres y en el borde izquierdo, en la ropa de las mujeres. Sin embargo, como demuestran N.I. y S.M. Tolstoj, este detalle no es más que la manifestación cotidiana de la correlación *masculinus*: *feminis*, como equivalente a *bonus*: *malus*, por la dicotomía *dexter*: *laevus*, a través de la cual la mujer es, por ejemplo, el recipiente del Diablo.[2] Diestra y siniestra son, por consiguiente, parcelaciones simbólicas de ambos costados del cuerpo que no sólo adquieren un significado de carácter ético, sino que también conllevan una distinción genérico-sexual en la cual lo siniestro (tanto en su significado primario de izquierdo como en sus connotaciones de maligno) se asigna a lo femenino. Si bien hoy día las aserciones teóricas acerca de la generación, propuestas por Anaxágoras alrededor del año 500 A. de C., nos podrán parecer absurdas por proponer que el semen del testículo derecho generaba niños varones mientras el semen del testículo izquierdo daba origen a las niñas,[3] el proceso mismo de simbolización ha continuado reiterándose hasta el presente. Tal es el caso, por ejemplo, de la teoría de Carl G. Jung para quien el lado derecho corresponde a lo racional, consciente, lógico y viril mientras el lado izquierdo es lo irracional, inconsciente, alógico y femenino.[4]

Hemos aludido brevemente a este fenómeno designativo por poseer, según nuestra opinión, un valor paradigmático con respecto a todo un conjunto de construcciones simbólicas creadas alrededor de distinciones de tipo genérico sexual. La imposición de una línea divisoria en el cuerpo humano que se concibe como poseedor de un lado derecho y de un lado izquierdo no es, de ninguna manera, igualitaria o equitativa en la distribución simbólica de sus componentes bipartitas. Como ha demostrado Robert Hertz en su estudio acerca del sistema binario y la polaridad religiosa: "A la mano derecha van los honores, las designaciones positivas y todas las prerrogativas: ella actúa, ordena y toma. La mano izquierda, por el contrario, es despreciada y reducida al rol de una humilde auxiliar: no puede hacer nada por ella misma; sólo ayuda y sostiene".[5] Esta asimetría, en una designación de tipo corporal, revela una organización binaria del mundo en la cual la derecha e izquierda corresponden a lo positivo y lo negativo, lo cocido y lo crudo, lo superior e inferior, lo noble y lo innoble, lo sagrado y lo profano, lo masculino y lo femenino.

Dentro de este contexto recurrente en casi todos los grupos culturales, las dimensiones negativas atribuidas al sector de la izquierda ponen en evidencia un proceso de devaluación de lo femenino que constituye, sin lugar a dudas, una de las características esenciales de la producción cultural originada dentro de una estructura de carácter patriarcal que también se destaca como organización dominante, en la mayoría de las culturas. Es más, la dicotomía asignada a lo diestro y lo siniestro debe considerarse como una manifestación de delimitaciones y fronteras que se imponen, siguiendo la lógica de una asignación de territorio. En esta asignación, el cuerpo es sólo el eje físico y concreto de una territorialidad simbólica que reafirma las estructuras de poder, insertas en una base económica que propicia la supremacía del sexo masculino.

Si, desde un punto de vista político y geográfico, la frontera, como sistema de líneas divisorias, demarca la extensión del poder de un Estado determinado, podríamos afirmar que los límites establecidos entre derecha e izquierda (masculino: femenino) son una expresión cultural, en un modo menos ostensible y material, de un derecho de dominio y posesión sobre espacios sometidos al imperio y jurisdicción del poder patriarcal. Sin embargo y, a diferencia de los territorios geopolíticos, es importante señalar que esta nación simbólica no sólo duplica la asimetría entre los sexos, al estar constituida por dos regiones que poseen atributos diferentes. Si, por una parte, la sobrevaloración de lo masculino se nutre de la devaluación de lo femenino, esta sustentación del poder patriarcal se fundamenta también en un proceso esencial de descripción y definición del elemento subordinado. Adscribir significados a lo femenino es, en esencia, una modalidad de la territorialización, un acto de posesión a través del lenguaje realizado por un Sujeto masculino que intenta perpetuar la subyugación de un Otro.[6] Por consiguiente, en los procesos de territorialización, se entretejen dos procedimientos fundamentales: la exclusión de la mujer en el ámbito del trabajo, la política y la cultura en general y la prolífera creación de construcciones imaginarias con respecto a la mujer y "lo femenino" que sirven de plataforma para sustentar dicha exclusión. Así, por ejemplo, en el pensamiento filosófico, se define el conocimiento racional como aquello que transforma, controla y trasciende las fuerzas naturales asociadas con lo femenino que se elabora profusamente a partir de su semejanza con la naturaleza, el cuerpo y la materia.

El género sexual es un conjunto de representaciones que en conjunción y tensión con otras representaciones crea significados, relaciones e identidades que fluctúan entre lo fijo y lo inestable. "Ser hombre" y "ser mujer" son dos categorías sujetas a circunstancias históricas que van modificando aquello que se plantea como inherente, intrínseco e inmutable. Como demostraremos en este estudio, a medida que se van cambiando las organizaciones políticas y económicas, el signo mujer adquiere nuevos significados vis a vis las elaboraciones acerca de "lo masculino" en el terreno evolutivo de la Modernidad y la Posmodernidad. En este contexto de cambios históricos, perdura, sin embargo, la categoría mujer como una construcción imaginaria escindida entre lo deseado y lo temido, como un objeto anclado en la imaginación y la prescripción. Ella es la figura central en la construcción y adquisición de la masculinidad y, en esta posición esencial, resulta ser el sitio de los orígenes y el sitio de lo reprimido. Un Otro territorializado de cuya contraidentidad se deriva la sustancia y comarca de "lo masculino".

Omitiendo las dimensiones concretas de una subordinación femenina ampliamente analizada por otras disciplinas, tales como la Historia o la Antropología que han puesto en evidencia, por ejemplo, el hecho de que las estructuras de parentesco, presentes en toda organización social, se fundamentan en las transacciones masculinas de intercambio de la mujer en su función biológica de reproducción,[7] nos interesa destacar, como otra manifestación de la territorialidad patriarcal, las dicotomías Naturaleza/Cultura: Casa/Entorno de Afuera, como ámbitos de una cartografía genérico sexual, que imponen fronteras a lo femenino. Y es a través de estas fronteras que se prescribe un modo de conducta y se delimita un espacio de carácter ontológico.

En este sentido, las ceremonias rituales del nacimiento resultan ser expresiones que ponen de manifiesto no sólo un *modus vivendi* determinado para cada sexo sino también dos versiones diferentes de la identidad. Así, por ejemplo, cuando nacía un niño varón en una familia azteca, la partera recitaba la siguiente oración:

Hijo mío muy amado, y muy tierno, cata aquí la doctrina que nos dejaron nuestro señor *Yoaltecutli* y la señora *Yoaltícitl*, tu padre y tu madre; del medio de ti corto tu ombligo; sábete y entiende, que no es aquí tu casa donde has nacido, porque eres soldado y criado, eres ave que llaman *quecholli*, eres ave que llaman *zaquan*, que eres ave y soldado del que está en todas partes;

pero esta casa donde has nacido, no es sino un nido, es una posada donde has llegado, es tu salida en este mundo, aquí brotas, aquí floreces, aquí te apartas de tu madre, como el pedazo de la piedra donde se corta; esta es tu cuna y el lugar donde reclines tu cabeza, solamente es tu posada esta casa;

tu propia tierra, otra es, en otra parte estás prometido, que es el campo donde se hacen las guerras, donde se traban las batallas; para allá eres enviado; tu oficio y facultad, es la guerra, tu oficio es dar a beber al sol con sangre de los enemigos, y dar de comer a la tierra, que se llama *Tlaltecutli*, con los cuerpos de tus enemigos.

Tu propia tierra, y tu heredad, y tu padre, es la casa del sol, en el cielo, allí has de alabar y regocijar a nuestro señor el sol, que se llama *Totonámetl in manic*. Por ventura merecerás, y serás digno de morir en este lugar y recibir en él muerte florida.[8]

Luego de augurarle una vida gloriosa, se procedía a enterrar su cordón umbilical en el bosque o en el cerro para simbolizar su futuro de guerrero en el espacio fuera de la casa. Si, por el contrario, la criatura recién nacida era una niña, la partera recitaba esta oración, antes de enterrar su cordón umbilical junto al fogón de la casa:

Hija mía y señora mía, ya habéis venido a este mundo; haos enviado nuestro señor, el cual está en todo lugar; habéis venido al lugar de cansancios y de trabajos y congojas, donde hace frío y viento.

Nota, hija mía, que del medio de vuestro cuerpo, corto y tomo tu ombligo, porque así lo mandó y ordenó tu padre y tu madre Yoaltecutli, que es el señor de la noche, y Yoaltícitl, que es la diosa de los baños; habéis de estar dentro de casa como el corazón dentro del cuerpo, no habéis de andar fuera de casa, no habéis de tener costumbre de ir a ninguna parte; habéis de ser la ceniza con que se cubre el fuego en el hogar; habéis de ser las trébedes, donde se pone la olla; en este lugar os entierra nuestro señor, aquí habéis de trabajar; vuestro oficio ha de ser traer agua y moler el maíz en el metate; allí habéis de sudar, cabe la ceniza y cabe el hogar.[9]

Desde el punto de vista de los roles primarios asignados a cada sexo, el aspecto relevante de estas oraciones rituales está en la distinción genérica con respecto a los oficios que hombre y mujer deben realizar: hacer la guerra versus dedicarse a las tareas domésticas. Tipo de trabajo que corresponde a los espacios determinados de la casa y el campo de batalla, razón por la cual, para el niño varón, el ámbito doméstico es sólo un nido transitorio mientras, en el caso de la niña, se define como espacio perpetuo. Pero, más allá de la oposición entre lo transitorio y lo permanente significativamente señalado con el verbo "enterrar", el proceso de sobrevaloración de lo masculino y devaluación de lo femenino se observa en los significados atribuidos a cada oficio. Si, por una parte, traer agua y moler maíz se presentan de una manera sucinta y literal, hacer la guerra adquiere connotaciones sagradas, al ser metafóricamente definido como el acto de deleitar al sol y alimentar la tierra. Por consiguiente, el oficio del varón no sólo le permite una comunicación directa con los dioses sino que también hace de él un agente activo dentro del espacio cósmico. En contraposición, el oficio doméstico, como sinónimo de arduo trabajo y sufrimiento, está exento de toda sacralización y goce. Al acto de matar al enemigo para deleitar al sol y alimentar la tierra con su sangre, se opone, en el caso de la mujer, un sudar junto al fuego que carece de toda dimensión trascendental o sagrada. En consecuencia, la casa deviene en un espacio cerrado donde está ausente la divinidad del Sol, en un vacío y carencia de lo sagrado que se simboliza por el viento y el frío, dos elementos naturales adversos. De este modo, la territorialización de la actividad femenina, circunscrita a la casa, pone de manifiesto una delimitación en la cual el hacer doméstico se postula como trabajo arduo en márgenes restringidos que contrastan con la trascendencia de un Hacer masculino, ubicado en el cielo y la tierra. Si el fogón es un núcleo carente de todo valor sagrado o trascendental, el campo de batalla se concibe como espacio mediador que otorga al hombre el territorio del sol, significativamente designado por las palabras "país", "patrimonio" y "padre", en sus connotaciones de derecho de propiedad y superioridad jerárquica.

Fogón doméstico y ámbito celestial son, entonces, los ejes territoriales de dos modos de existencia que separan, de manera radical, al hombre y a la mujer.[10] Ejes sustentados, a nivel de la infra-estructura económica, por la relegación de la mujer a la actividad natural, y no económica, de la reproducción biológica y el cuidado de los hijos. Y es precisamente esta ligazón biológica la que permite a Aristóteles asociar a la mujer con el cuerpo y al hombre con el alma, en una reiteración de la dicotomía patriarcal entre Naturaleza-Mujer y Cultura-Hombre. Según su hipótesis acerca de los orígenes de la generación, la mujer, comparada con la madera y la cera, proveía la materia del embrión; mientras el hombre, al igual que un carpintero, le infundía a la materia forma y movimiento; esta asociación de la mujer con la materia la igualaba a lo animal e inferior, mientras la función del hombre denotaba la labor espiritual, noble e infinitamente superior de impartir vida. Resulta interesante observar que, en el discurso aristotélico, el semen como materia se abstrae y espiritualiza al atribuírsele la función de ser "el principio de las formas". En contraste, el flujo menstrual se define como semen impuro porque carece de un constituyente esencial, el principio del alma.

Es más, en su *De generatione animalium* que tendrá una gran influencia en el pensamiento escolástico, Aristóteles plantea a la mujer como la versión incompleta e imperfecta del hombre. Según el filósofo griego, la naturaleza tiende a procrear lo perfecto y lo más caluroso que corresponde al varón; pero, si en el proceso de la procreación, se da calor generativo insuficiente o las condiciones climáticas son adversas, el nuevo ser creado será mujer. Por lo tanto, en el sistema aristotélico de dualidades, lo masculino/femenino no sólo se equipara a la forma versus la materia y lo activo en contraposición a lo pasivo, sino que también se inserta en las categorías de lo completo/incompleto y lo perfecto/imperfecto.

Su hipotésis acerca de la procreación biológica posee importantes repercusiones en su pensamiento político que usa, como argumentación, el fundamento de la ley natural. Así, en su *Política* (Libro I), Aristóteles analiza la familia como un tipo de asociación similar a aquélla del Estado, utilizando el carácter natural de la unión entre hombre y mujer para demostrar que el Estado es también natural y el hombre es, por naturaleza, un animal político. Al referirse a la administración de la casa y los elementos constitutivos de la familia, partiendo del principio de que algunos nacen para gobernar y otros nacen para ser gobernados, distingue tres tipos de relación: la de Amo y Esclavo, la de Esposo y Esposa y la de Padre e Hijos. Justifica estas dualidades aseverando que se originan en la constitución misma del universo y es precisamente este argumento naturalizador, tan propio de los grupos dominantes, el que le permite afirmar que los animales, los esclavos y las mujeres son, por naturaleza, inferiores, del mismo modo como el cuerpo es inferior al alma. El hombre libre es, por lo tanto, el único que naturalmente posee la virtud de lo racional y, por ende, al que le corresponde gobernar. Si bien le resulta fácil, dentro de su ideología esclavista, agrupar a los animales y a los esclavos como seres que sólo con el cuerpo atienden a sus necesidades de la vida, la lógica de Aristóteles enfrenta un dilema al referirse a la mujer libre; a quien, a diferencia de ellos y por pertenecer a una clase social superior, él concibe como poseedora de cierta capacidad de entendimiento y facultad deliberativa. Pero éste será un escollo fácilmente salvable en las aguas de un discurso aristotélico que se fundamenta en la naturalización de lo no natural. Si la mujer es por naturaleza inferior al hombre, lógicamente su capacidad deliberativa es también inferior por cuanto carece de autoridad, del mismo modo como son inferiores todas sus virtudes.

En esta separación tajante entre hombre y mujer, amo y esclavo, hombre racional y animales, Aristóteles no sólo atribuye al hombre perteneciente a la aristocracia griega la cualidad innata para el ejercicio del gobierno, sino que también maneja términos sujetos a una relatividad originada en la diferencia genérico-sexual impuesta por la estructura patriarcal. Y en este sentido, la devaluación de lo femenino como sinónimo de cuerpo reproductor es similar a aquélla ya analizada en la cultura azteca. Si el coraje masculino se despliega de manera diestra y heroica en las artes de la guerra y de la paz y en la capacidad para gobernar, el coraje de la mujer se muestra en el obedecer. Significativamente, Aristóteles también alude al lenguaje que, en el caso del hombre, corresponde a la trasmisión del conocimiento y, en la mujer, a la doxa o pura opinión, razón por la cual considera que el silencio es la verdadera gloria de la mujer.

Esta coincidencia ideológica entre culturas tan disímiles

como la griega y la azteca con respecto a la asignación de los territorios Naturaleza/Cultura y Casa/Entorno de Afuera, expresa un rasgo esencial de la estructura patriarcal: la diferencia entre dos sexos como paradigma básico en la organización e interpretación del mundo. Esta diferencia no sólo es el principio organizativo de los roles primarios de la sociedad sino también el núcleo de toda una axiología que permea el lenguaje, el sistema religioso, los códigos éticos, los modos de conducta y la caracterología atribuida a cada sexo.

Si bien, al nivel de la vida cotidiana, la dicotomía entre Hombre y Mujer se manifiesta en la ropa, en la asignación de espacios, como es el caso de los baños públicos, en las instituciones (escuelas, hospitales, manicomios) e incluso en el tipo de discurso asignado a cada sexo, las llamadas "áreas trascendentales de la cultura" (teología, filosofía y ciencia) han ocultado sistemáticamente esta diferencia como anclaje de las producciones culturales. En un discurso que subsume a la categoría "mujer" en el sustantivo abstracto que tiene como significante el léxico "Hombre", estas disciplinas generalizan, de manera universalizante, acerca de la naturaleza humana, la esencia del ser o los problemas religiosos y metafísicos de la existencia. A través de esta simulación, se enmascara la dicotomía sexual y su carácter subordinador por medio del cual el Sujeto masculino excluye a la mujer de todo tipo de producción cultural y, a la vez, la incluye en sus teorizaciones, en un gesto totalizante. Esta estrategia produce dos efectos principales: fraudulentamente hace creer a la mujer (en su posición de ser excluido y subordinado) que pertenece, de manera igualitaria, a la categoría "universal" denominada "Hombre" y, de modo autoritario, impone sus discursos abstractizantes aniquilando la posibilidad de que surjan discursos alternativos.

Por otra parte, la diferencia sexual se ha presentado como una oposición tajante entre hombre y mujer, omitiendo o rechazando todo aquello que no cabe en dicha oposición para calificarlo de anormal, desviado o perverso. Basándose en lo estrictamente anatómico y visible, la categoría "hombre y mujer" ha sido el soporte biológico que sustenta tanto los roles primarios asignados a cada sexo como las construcciones culturales regidas por una epistemología fundada en la heterosexualidad. Así, "lo masculino" y "lo femenino" se han delineado como dos terrenos opuestos y complementarios, en una versión simplificadora de la sexualidad humana exclusivamente dirigida a la procreación y la reafirmación del núcleo de la familia.

Pero, tras el ideologema de la complementariedad en la pareja Hombre-Mujer, ha subyacido una estructura de poder que parcialmente se asemeja a aquella establecida entre el Sujeto colonizador y el Otro colonizado. Con la importante diferencia de que, en el caso de la mujer, se trata de un ser colonizado que, en su rol primario de madre y esposa, es también un Otro amado con el cual se comparte generalmente el mismo origen étnico y los mismos valores de una clase social determinada. Este factor de cercanía, tanto a nivel social como afectivo, complejiza, en gran medida, los procesos observados en la colonización como estructura que arranca de lo exclusivamente político o económico. Además, a diferencia de la colonización en la cual el poder se manifiesta de manera más o menos explícita, las construcciones culturales con respecto a la mujer han estado siempre teñidas por mistificaciones que hacen de ella un ser puro y sublime, hermoso, espiritual, abnegado y capaz de grandes sacrificios.

Un análisis de los procesos de construcción del Otro colonizado pone de manifiesto el hecho de que el Sujeto colonizador crea una imagen en la cual incluye todo aquello que él no es o no quiere ser.[11] Sobrevalorando su color blanco, su ética del trabajo y sus propias creencias religiosas y morales atribuye al Otro rasgos tales como la herejía, la flojera y la suciedad. La imaginación colonizadora produce, así, estereotipos en los cuales, por ejemplo, se exagera, para el caso del colonizado perteneciente a la raza negra, la sexualidad como engendradora del pecado de la lujuria.

Esta proyección imaginaria que responde a la ideología colonizante es también un modo de reafirmar la identidad del colonizador, al contraponer en el Otro colonizado, los términos negativos de sus propios valores. Este mecanismo de poder que sustenta la identidad propia se observa claramente en las oposiciones binarias atribuidas al hombre y la mujer. En el código simbólico de la cultura de occidente, la actividad y la conciencia atribuidas al hombre son representadas por las imágenes cósmicas del cielo, el sol y el fuego, en su dimensión espiritual y purificadora. Mientras el cielo se asimila al principio activo masculino, al espíritu y al número tres, el sol representa una fuerza heroica y generosa, creadora y dirigente que se asocia con el fuego en su dimensión espiritual portadora de lo místico y lo sublimador.[12] En contraposición, lo femenino, como sitio de lo pasivo e inconsciente, es simbolizado por la tierra, el agua y la luna. La tierra, en su connotación de lo material pasivo y fértil, se complementa con el agua (principio y fin de todas las cosas de la tierra) la cual representa a la materia en su estado líquido que connota, tanto el flujo del inconsciente como la fertilidad. Por otra parte, la luna es asociada con el flujo menstrual y el movimiento de las aguas, razón por la cual simboliza a la fecundidad y, al estar asociada con la noche, representa lo maternal, lo oculto y lo inconsciente.[13]

Por otra parte, al nivel más visible y evidente de los estereotipos que circulan en nuestra cultura, "lo masculino" se define como aquello que corresponde a la fuerza física, la inteligencia y el uso eficaz de la razón mientras "lo femenino" es sinónimo de debilidad, intuición y sentimiento.

De esta manera, se ha configurado toda una zona semántica en la cual el Sujeto masculino atribuye a la mujer los valores negativos de su propia axiología falogocéntrica a través de una lógica en la cual para poder Ser es necesario nombrar y oponer el No-Ser.

La utilización de la mujer como Otro, en los procesos identitarios del Sujeto masculino, trascienden, sin embargo, el sencillo mecanismo ya descrito. Ubicado en el terreno resbaladizo de una identidad, siempre mutable y vulnerable, que aspira a una sólida Totalidad e inserto en una Naturaleza que resiste el dominio absoluto, este Sujeto masculino también proyecta en la mujer, todo lo deseado y lo temido.[14] Ella es, así, construida como la Madre-Tierra que representa las fuerzas benéficas de la Naturaleza, la pureza y la vida; figura que posee, como contratexto, a la Madre-Terrible o Devoradora de Hombres, sinónimo de la Naturaleza que produce la muerte con sus huracanes, terremotos e inundaciones. Estos trazos arquetípicos han proliferado en la imaginación masculina para poblar, tanto los textos de la cultura oficial como aquellos pertenecientes a los medios de comunicación de masas y a la cultura popular, de hadas y hechiceras, vírgenes y vampiresas, madres sublimes y mujeres malvadas.

Entre lo deseado y lo temido, se entretejen también los ideales del Sujeto masculino los cuales se modelizan en abstracciones que asumen la forma de una mujer. Ella es el símbolo del amor y la inspiración artística, de la Patria, de la Libertad y de la Justicia.

A principios de la colonización de América, uno de los grandes debates de la Iglesia fue establecer si los indígenas poseían alma. La importancia de dicho debate residía en el hecho de que la respuesta a esta pregunta determinaría si se realizaba o no la labor de evangelización. Este hecho histórico nos revela otro aspecto importante en los procesos de construcción del Otro colonizado a quien, aparte de atribuírsele rasgos no valorados por la sociedad, se le adjudican vacíos y carencias. Como se hará más explícito en el capítulo siguiente, tradicionalmente la mujer ha sido concebida, en nuestra cultura, como un ser que carece de la inteligencia presente en los hombres; de esta preconcepción proviene la prohibición de que la mujer estudiara latín o se dedicara a la disciplina de las ciencias.

Es interesante observar que las argumentaciones con respecto a la inferioridad de sus facultades mentales adoptaran, durante el siglo XIX, el carácter objetivo de la ciencia. Así, el dato concreto de que el cerebro de la mujer pesara menos que el cerebro del hombre vino a corroborar el rasgo de carencia atribuido a la mujer. Y es también desde una perspectiva siconoanalítica que intenta fundamentarse en lo científico, que Sigmund Freud desarrolla su teoría basándose en la carencia de un pene, fuente y origen de la insatisfacción y los complejos de la mujer.

Sin embargo, diferenciándose de la construcción de un Otro colonizado, en el caso de la subordinación de la mujer, su imagen también se elabora como suplemento que completa al hombre. Dentro de esta lógica, el Sujeto masculino se plantea como un centro y una totalidad esencial y el suplemento de la mujer como Otro es una adición inesencial y exterior al centro, pero necesaria para complementar a la totalidad. Así, en la dialéctica de Hegel, por ejemplo, el Sujeto se asocia con el hombre y el Otro alienado corresponde a la mujer o lo femenino y, en el proceso hegeliano del *Aufhebung*, se reincorpora al Otro para hacer total la completación del Sujeto.[15]

Oscilando entre la carencia y el suplemento, la mujer real ha sido también la amenaza del exceso para una imaginación masculina que ordena y sistematiza a partir de lo visible en una economía escópica. Razón por la cual el clítoris, en la teoría de Freud, resulta un exceso, aquello que no entra en el esquema del placer vaginal postulado a partir de un concepto falocéntrico de la sexualidad. Exceso que deviene, en el discurso freudiano, en "un pene atrofiado", en un órgano inútil, tanto para el falo omnipotente como para la procreación.

Por otra parte, en los procesos de colonización política y económica, es corriente que se construya al Otro colonizado como una colectividad anónima que siempre lleva la marca de lo plural y el juicio generalizador. En los signos colectivos de "los indios" o "los negros", se anula toda individualidad diferenciadora para proponer que todos son iguales con respecto a las características físicas e ideosincráticas que el Sujeto colonizador les atribuye para compensar el misterio de no saber qué piensan o cuáles son sus sentimientos. Este enigma ha sido creado por él mismo al devaluar las producciones culturales de un Otro colonizado que es también feminizado.

De manera similar, nuestra cultura está preñada de máximas y proverbios que establecen generalizaciones acerca de las mujeres, "fascinantes, ingratas y traidoras", como dice el tango. Pero, aparte de este fenómeno del nombrar y el definir colectivizante, los discursos de la cultura oficial de occidente, como se hará evidente en el siguiente capítulo, han poseído, desde sus inicios en la tradición judeocristiana, una obsesión por definir a la Mujer, tanto en su esencia como en los diversos atavíos caracterológicos que se le otorgan. Esta categoría abstracta y teñida de mistificaciones corrobora la asimetría entre los sexos a través de un interesante fenómeno en el cual ella es profusamente elaborada mientras su equivalente, el Hombre, es un signo comparativamente menos elaborado y que se desplaza a la categoría universalizante que incluye tanto al hombre como a la mujer.

En consecuencia, el signo mujer es uno de los signos más complejos en una tradición cultural que, en contraste, tiende sólo a delinear en trazos de número limitado a los hombres. En el escueto andamiaje del triunfo y la seducción con sus modalidades de subyugar pueblos, territorios, mujeres y enemigos, los hombres, en estos discursos, son los vencedores de la naturaleza y los entornos sociales, los que triunfan tanto en las empresas del dinero y la fama como en las aventuras de la guerra, el amor y el conocimiento. En una comarca imaginaria que constantemente elabora y reelabora diversas imágenes de la mujer, la imagen del hombre, en este andamiaje básico, ha dado origen a la mayor parte de las narrativas de nuestra cultura la cual postula a sus personajes masculinos como héroes o antihéroes, siempre en la función del Hacer.

Además, si en la construcción del Otro colonizado, éste sólo existe en función de las necesidades del Sujeto colonizador para convertirse en Objeto de Producción, el factor afectivo presente en las relaciones entre hombre y mujer diversifica, de manera notable, estos procesos de objetivación. Así, la mujer, como Objeto de Deseo, engendra imágenes que, en la pintura, asumen la forma de desnudos o semidesnudos en poses exclusivamente diseñadas para la mirada del hombre[16]; mientras, en la literatura o el cine, se transforma en personajes femeninos de cuerpos voluptuosos y tentadores. Contrastando con estas modelizaciones de una imaginación masculina tan proclive a las oposiciones binarias, se erige la imagen de la mujer como Objeto de Veneración representado por la figura asexuada de la Virgen María, de la madre sublime y "el ángel del hogar"; mientras la heroína romántica, tras su pureza y sus desmayos, encarna la inocencia pasiva y la debilidad física del sexo femenino, según criterios patriarcales.

En todo sistema de colonización, el Sujeto colonizador marginaliza de la Historia al Otro colonizado con el objetivo de mantener su posición de poder en la inmovilidad absoluta. La exclusión de la mujer de las áreas de la teología, el trabajo, la educación y la política fue, hasta principios del siglo XX, un fenómeno que corrobora esta acción colonizadora del patriarcado. Es más, en las jerarquías impuestas por este sistema, el Padre, como totalidad monolítica, ha permeado la organización de todas las estructuras. Dios, planteado como Padre, ha tenido su equivalente terrenal en los padres canónigos, únicos poseedores de la palabra divina y del derecho a impartir los sacramentos, mientras los que gobiernan (Rey, presidente o dictador) también se delínean, en su autoridad y poder de guía, como figuras paternales que poseen, a nivel de la estructura familiar, su reflejo especular en el *Pater familias*. Incluso, la voz que narra ficciones ha sido tradicionalmente investida de una autoridad que corresponde al Padre, como poseedor del Saber y la Imaginación.

Por esta razón, no es suficiente aseverar que la mujer, en su posición subordinada, ha sido excluida de la Historia. Inserta en una sociedad en la cual predomina una estructura edípica, ella ha sido privada también de su propia

Historia y de las historias que modelizan su propia experiencia. En la cultura de occidente, las diversas relaciones con el Padre han dado origen a sistemas genealógicos que se han planteado como los únicos órdenes posibles, excluyendo así las genealogías que arrancan de la afiliación e intercambio biológico, cultural y afectivo entre las mujeres.[17]

Considerando este contexto en el cual los mecanismos de poder presentes en la colonización política y económica resultan ser una versión de los procesos de subordinación, Luce Irigaray en *Speculum d'autre femme* ha señalado que el hombre, en nuestra sociedad patriarcal, se ha atribuido el derecho exclusivo al uso, intercambio y representación de la mujer. Sin embargo, como intentaremos demostrar en este estudio, las múltiples representaciones de la mujer a partir de la perspectiva de un Sujeto patriarcal trascienden, en gran medida, la literalidad y explicitez de los discursos colonizadores. Además, es importante considerar que en el Otro colonizado perteneciente al grupo masculino, se entreteje el poder patriarcal que, simultáneamente, le otorga una posición de Sujeto en sus relaciones con la mujer colonizada. Y, en el caso de las mujeres siempre escindidas por la raza y las estratificaciones sociales, la mujer indígena, por ejemplo, es también el Otro de la mujer blanca. Situación que nos lleva a complejizar no sólo los esquemas propuestos para analizar la colonización. Los lazos que unen al hombre con la mujer en relaciones de carácter diverso requieren, en nuestra opinión, un análisis más detenido que debería conducir a establecer su especificidad, en una compleja modalidad que se diferencia de otras construcciones y discursos producidos por los tipos de poder, hasta ahora, analizados en nuestra sociedad.[18]

El importante desarrollo de la Teoría Feminista, en estas últimas décadas, ha hecho posible descubrir y describir diversas estrategias patriarcales que se podrían resumir someramente como configuradoras de una conspiración del silencio. En nuestra sociedad, no sólo se han acallado las voces de las mujeres en las diferentes áreas de la cultura, sino que también se ha silenciado la función nuclear que ha poseído el paradigma de la diferencia basada en la presencia de dos sexos. Sin embargo, en un procedimiento que duplica los métodos de la modernidad falogocéntrica, los estudios feministas han tendido a hacer del patriarcado una categoría abstracta, siempre idéntica y uniforme. Es más, haciendo del "hombre" una categoría indiferenciada, se hace caso omiso de las tajantes diferencias impuestas entre los hombres por otras estructuras de poder.

En el segundo capítulo de este estudio, nuestro análisis del signo mujer se centra, a un nivel explícito y conspicuo, en los trazos dominantes de este signo construido por la cultura oficial. El patriarcado, lejos de ser un poder estático, se perfila como un cauce múltiple que inserta al signo mujer en el flujo de un devenir histórico siempre cambiante. De la ideología escolástica surgen las prescripciones de un Deber Ser y un No-Deber Ser para la mujer cincelada como figura que peligrosamente se aleja hacia los territorios de Eva; del desarrollo de las ciencias experimentales emergen diversos conceptos que se incorporan al signo y, del rechazo de los parámetros de la modernidad, este signo comienza a perfilarse como lo Otro de la razón.

Aparte de las importantes implicaciones que posee a nivel de la organización de la sociedad y los modelos de conducta, esta evolución en los discursos de carácter teórico y conceptual funciona como uno de los sitios de la intertextualidad para la producción artística. Hecho por el cual nos parece que el análisis de estos discursos teóricos acerca de la mujer complementa nuestra comprensión de los textos literarios. Si bien, en la poesía y la ficción, los procesos de significación adquieren una dimensión sustitutiva y metafórica que se rige por normas y convenciones mucho más complejas y heterogéneas, la creación de personajes literarios se nutre, en gran medida, del signo mujer prevalente en una etapa particular de la Historia oficial y sus discursos dominantes. Incluso en aquella literatura de carácter disidente, los contratextos se elaboran principalmente invirtiendo o deformando modelos y paradigmas en los cuales también están presentes los rasgos relevantes en la construcción imaginaria de la mujer como Otro.[19] En diferentes esferas de nuestra cultura circulan muchas definiciones de la mujer, generalmente desde una perspectiva misógina que recurre al ingenio y al humor. El proverbio español "Mujer y mal año nunca falta" o el refrán popular "De la mala mujer te guarda Dios, y de la buena no fíes nada" encuentran eco en una serie de frases curiosas y memorables pronunciadas por hombres famosos. A modo de rápido brochazo cronológico, se podría demostrar que el "impudens animal" de Séneca no ha cesado de defecar máximas y opiniones que intentan caracterizar a la mujer. Al azar, se pueden citar ejemplos de este flujo de voces masculinas insertas en el devenir de la cultura oficial: "La mujer es el hombre imperfecto" (Averroes 1126-1198), "Enemiga de la paz, fuente de impaciencia, ocasión de querellas que destruyen toda tranquilidad, la mujer es el mismo diablo" (Petrarca 1304-1374), "La mujer siempre será mujer, es decir, estulta, aunque se ponga la máscara de persona" (Erasmo de Roterdam 1469-1536); "No hay manto ni saya que peor siente a la mujer o a la doncella que querer ser sabia" (Martin Lutero 1483-1546); "La mujer es como la hiedra que crece en todo su esplendor mientras se enrosca al árbol, pero no vale para nada cuando se la separa de él" (Molière 1622-1673); "Una mujer amablemente estúpida es una bendición de Dios" (Voltaire 1694-1778); "Las mujeres no son otra cosa que máquinas de producir hijos" (Napoleón Bonaparte 1769-1821); "La mujer es un animal de cabellos largos y corto entendimiento" (Schopenhauer 1788-1860); "En toda mujer de letras hay un hombre fracasado" (Charles Baudelaire 1821-1867); "Todas las mujeres llegan a ser como sus madres; ésa es la tragedia" (Oscar Wilde 1854-1900); "La mujer es un postulado que no se puede demostrar (Miguel de Unamuno 1864-1936); "No hay nada que se parezca tanto a un hombre tonto como una mujer sabia" (Jacinto Benavente 1866-1954).

No obstante la recurrencia y profusión de estas voces, en

nuestra cultura, siempre han asumido una forma dispersa que las ubica en la región de "lo curioso", ocultando así el hecho de que es un fenómeno histórico que soterradamente se mantiene y prolifera como una expresión más de las construcciones territorializantes del patriarcado. Apropiándonos del concepto de metanarrativa, generalmente utilizado para referirse a aquellas interpretaciones acerca de la historia humana que intentan garantizar y legitimizar la práctica de las ciencias modernas y los procesos políticos, proponemos que los diversos discursos acerca de la mujer constituyen una metanarrativa cuyo eje ha sido voluntariamente astillado para ocultar su importancia y deslegitimizar todo intento de análisis y sistematización. Como se hará evidente en el segundo capítulo, esta metanarrativa se genera a partir del concepto de la mujer como un Otro subordinado, ficha que en una constante movilidad, da origen a discursos que justifican tanto una determinada legislación como su grado de participación en diferentes áreas de la cultura.

Un aspecto que llama la atención es el hecho de que la mayoría de las elaboraciones del signo mujer procedan de los centros culturales europeos configurando, así, toda una zona no estudiada de la dependencia cultural latinoamericana. En nuestra opinión, es precisamente el esfuerzo constante por diferenciarse de los sitios hegemónicos el que ha contribuido a este fenómeno. En la encrucijada de la dependencia y la autonomía, los discursos latinoamericanos han elaborado acerca de la especificidad de una identidad mestiza y colectiva que asume la forma de un "nosotros" el cual está inserto en un devenir histórico de la dominación que se inicia con la conquista de América.[20] Esta situación de alteridad en un entorno heterogéneo, fracturado y dividido, hace del "nosotros" la señal de aquella diferencia que posee la potencialidad para constituir al otro latinoamericano en Sujeto. La diferencia, sin embargo, ha sido usualmente elaborada a partir de aspectos más o menos conspicuos, tales como la especificidad histórica y geográfica o la diversidad racial, sin haber prestado atención a lo genérico. Así, en las diversas teorías acerca de la identidad cultural y los fenómenos de transculturación, se ha omitido la posibilidad misma de que la mujer latinoamericana realice una praxis cultural específica que podría ser considerada dentro de dicha pluralidad singularizadora.[21] Por el contrario, en las reelaboraciones del signo mujer desde una perspectiva feminista, se observa, como se demostrará en el tercer capítulo de este libro, una posición independiente con respecto a los discursos provenientes de Europa y Estados Unidos. Estos discursos funcionan sólo como plataforma provisoria para un movimiento ideológico latinoamericano que generalmente no pierde de vista el quehacer político. Así, los diversos significados atribuidos al signo mujer en los centros culturales europeos y norteamericanos a partir de la década de los setenta, poseen una función de horizonte que se readecua a la situación contingente de la mujer latinoamericana. Por consiguiente, en muchos sentidos, la arpillera como artefacto cultural representa esta posición del feminismo latinoamericano contemporáneo. Fuera de los ámbitos oficiales de una cultura centrada en la escritura y la disquisición filosófica, en el retazo de la arpillera se cuenta una experiencia personal con el hilo y la aguja para inscribir la memoria e hilvanar a la mujer en su dolor y en su capacidad para resistir las diversas manifestaciones del poder.

Reaccionando contra el esencialismo de los nuevos discursos feministas producidos en los sectores hegemónicos, la mujer latinoamericana se busca a sí misma en una otredad múltiple y se propone reemplazar la teorización abstracta por multidiálogos que portan en sí una potencialidad política. De este modo, la fragmentación adquiere una connotación positiva, puesto que la dispersión de la otredad femenina hace evidente el imperativo de la solidaridad. Y, en esta nueva comarca, la definición del signo mujer empieza a perfilarse como una categoría de élite que resulta innecesaria.

Notas

[1]Sir James George Frazer. *The Golden Bough: A Study in Magic and Religion.* New York: The Macmillan Company, 1967, p. 35.

[2]N.I. y S.M. Tolstoj. "Para una semántica de los lados izquierdo y derecho en sus relaciones con otros elementos simbólicos", *Semiótica de la cultura* de Jurij M. Lotman y Escuela de Tartu (Madrid: Ediciones Cátedra, 1979, pp. 195-198).

[3]El planteamiento teórico de Anaxágoras es discutido en el contexto más amplio de la diferenciación sexual en el cerebro en el artículo de D. F. Swaab y M. A. Hofman titulado "Sexual Differentiation of the Human Brain. A Historical Perspective" publicado en *Progress in Brain Research* editado por C. J. Vries, Amsterdam: Elsevier Science Publishers B. V., 1984, pp. 361-371.

[4]Carl G. Jung. *La psicología de la transferencia.* Buenos Aires: Editorial Paidós, 1961.

[5]Robert Hertz. "The Preeminence of the Right Hand: A Study of Religious Polarity", *Right and Left: Essays on Dual Symbolic Classification* editado por Rodney Needham, Chicago, 1973, p. 3.

[6]En este sentido y a nivel de territorio como zona de significados asignados, nuestro concepto coincide con aquél desarrollado por Gilles Deleuze y Félix Guattari en *Kafka: Toward a Minor Literature* (Minneapolis: University of Minnesota Press, 1986). Sin embargo, debemos hacer notar que nuestra perspectiva no está de acuerdo con sus planteamientos teóricos más generales, los cuales, al postular un cuerpo sin órganos, tienden a borrar las fuerzas históricas marcadas por el factor genérico-sexual.

[7]En este sentido, las investigaciones de Claude Lévi-Strauss son altamente valiosas. Gayle Rubin a través de una exégesis de sus teorías acerca de las relaciones de parentesco, inserta el tabú del incesto y las relaciones de intercambio dentro de la estructura mayor de la división asimétrica de los sexos y la heterosexualidad obligatoria. Consultar su artículo titulado "The Traffic in Women: Notes on the 'Political Economy' of Sex" incluido en *Toward an Anthropology of Women* editado por Rayna Reiter. (New York: Monthly Review Press, 1975, pp. 157-210).

[8]Fray Bernardino de Sahagún. *Historia general de las cosas de Nueva España*, tomo II. México: Editorial Porrúa, S.A., 1956, pp.185-186.

[9]Ibid., p. 186.

[10]De manera similar, entre los mayas se celebraban ritos que ponían de manifiesto la división genérico-sexual del trabajo. Así, para el niño varón, el cuarto mes era motivo de fiesta pues el número cuatro era aquella cifra sagrada que simbolizaba los cuatro costados del campo de maíz donde posteriormente desarrollaría su rol principal. En el caso de la niña, su cifra sagrada era el número tres pues tres piedras formaban el círculo del fogón ante el cual debería pasar la mayor parte de su vida.

Al cumplir los tres meses, la madre la entregaba a la esposa del cacique que permanecía en el centro de la casa. Sobre una estera se colocaban los implementos para tejer, un jarro para el agua, una olla, un metate y la piedra para moler maíz. La niña era llevada nueve veces alrededor de la estera y los adultos imitaban en un telar en miniatura los movimientos del oficio de tejer. (Ferdinand Anton. *La mujer en la América Antigua*. México: Editorial Extemporáneos, 1975).

[11]Consultar, por ejemplo, el estudio de Albert Memmi titulado *The Colonizer and the Colonized* (Boston: Beacon Press, 1967).

[12]Juan-Eduardo Cirlot. *Diccionario de símbolos* (Barcelona: Editorial Labor, 1969, pp. 136, 428-431, 219-220).

[13]Ibid., pp. 62-62, 295-297.

[14]En la elaboración de este aspecto, el análisis de Simone de Beauvoir en *El segundo sexo* resulta señero. (Buenos Aires: Ediciones Siglo XX, 1962).

[15]Hélène Cixous. *La Jeune Née* (París: Union d'Editions Générale, 1975; Luce Irigaray. *Speculum de l'autre femme* (París: Minuit, 1974); Sara Kofman. *L'Enigme de la femme* (París: Editions Galilée, 1980).

[16]Consultar, por ejemplo, el importante estudio de John Berger titulado *Ways of Seeing* (Londres: BBC Books, 1972) o *Imagining Women: Cultural Representations and Gender* editado por Frances Bonner, Lizbeth Goodman, Richard Allen, Linda Janes y Catherine King. (Cambridge: Polity Press, 1992).

[17]Luce Irigaray ha puesto en evidencia, por ejemplo, que aparte de la omisión de la economía de la placenta, en nuestra cultura, se ha dado una sistemática exclusión de genealogías femeninas. (*je, tu, nous: Toward a Culture of Difference*. Nueva York: Routledge, 1993).

[18]En este sentido, resulta muy significativo el hecho de que Michel Foucault sistemáticamente excluyera de sus análisis el factor genérico-sexual.

[19]En mi ensayo "El personaje literario femenino y otras mutilaciones", analizo precisamente este aspecto en las construcciones simbólicas de una literatura masculina en la cual el personaje femenino, caracterizado a partir de los modelos sociales asignados a la mujer, funciona como signo del orden patriarcal o, en una apropiación del Sujeto masculino, se transforma en símbolo de transcendencia o agente de la transgresión. (*Hispamérica*, año XV, No 43, 1986, pp. 3-19).

[20]Para una discusión más amplia de este nosotros colectivo, se puede consultar el estudio de Ofelia Schutte titulado "Toward an Understanding of Latin American Philosophy: Reflections on the Formation of a Cultural Identity" (*Philosophy Today*, primavera 1987, pp. 21-34).

[21]En mi ensayo "Identidad cultural y la problemática del Ser en la narrativa femenina latinoamericana", analizo en mayor detalle las implicaciones de esta omisión en los discursos acerca de nuestra identidad cultural. (*Plural*, No 205, octubre 1988, pp. 12-21).

FRONTERAS Y ANTIFACES DEL SIGNO MUJER

El complemento inferior como principio estructurante de la asimetría patriarcal

> *En la multitud alguien grita con entusiasmo: "Bendito sea el vientre que te dio a luz y benditos sean los pechos que te alimentaron". Jesús responde: "No. Benditos sean los que escuchan la palabra de Dios y la mantienen"*
>
> Lucas ll: 27,28.

En la base de todo sistema religioso subyace una pregunta con respecto a quién ha creado la vida. Las pinturas y esculturas del período neolítico ponen en evidencia que el rol de la creación se atribuía a la mujer a la cual se veneraba como una divinidad. Las diosas de la fertilidad asociadas con la luna y los cambios de las estaciones, acompañadas de aves, cabras y serpientes representaban a la naturaleza. Como símbolo de un sistema de valores animista y monístico, esta figura femenina era signo también de una unidad configurada por la tierra y las estrellas en los múltiples entretejidos de todo lo natural. En este carácter, la dualidad de la naturaleza escindida entre día y noche, luz y oscuridad, vida y muerte, se incorporaba a la imagen de la diosa.

A nivel histórico, la mujer como fuente de la procreación, resultaba de una importancia tal que justificaba su sacralización en la esfera religiosa en la cual se le atribuía la función de creadora de todo lo vivo. Ninhursag e Inanna entre los sumerios, Ishtar y Kubab en Babilonia, Astarte para los fenicios y Artemisa en Grecia fueron, sin embargo, posteriormente acompañadas por la figura de un dios o un rey que las auxiliaba en su tarea y, en Mesopotamia, en el tercer milenio antes de Cristo, la diosa creadora fue reemplazada por el dios del trueno o el dios del aire. Según recientes estudios históricos, este cambio significativo correspondió al afianzamiento del patriarcado en los estados arcaicos que surgieron del reemplazo de la horticultura por la agricultura. Estas nuevas sociedades se organizaron a partir de los principios de jerarquía y propiedad, de la consolidación de las élites militares y la organización nuclear de la familia.[1] Como afirma John A. Phillips en su libro *Eva: La historia de una idea*: "El comienzo de la civilización parece exigir una toma del poder religioso por dioses masculinos, para romper los nexos de la humanidad con la sangre, la tierra y la naturaleza".[2] Por lo tanto, la Diosa Creadora o Madre de todo lo Viviente es desplazada o depuesta por una figura masculina creadora que, lejos de duplicar la procreación biológica, representa una voluntad y una conciencia conceptualizadora de crear.

Si, en la divinidad femenina, se conjugaba la creación y la procreación, en el proceso de un pensamiento ahora abstracto, la actividad creadora de un dios masculino se empezó a simbolizar por "el nombre" y "el soplo de vida" que anuló lo concreto biológico y fue concebido como algo completamente diferente a toda experiencia humana. En las nuevas cosmogonías, el relato de los orígenes legitimizó una ascendencia que provenía de un progenitor masculino. Y en el panteón de los dioses, la diosa madre devino en consorte, en versión domesticada de las antiguas diosas de la fertilidad.

Esta devaluación simbólica de la mujer en relación con lo divino se transformó en una de las metáforas fundadoras de la civilización de occidente y, dentro de la tradición judeo-cristiana, el Génesis de la Biblia resulta de un valor seminal para comprender las modalidades que adopta el fenómeno de la territorialización. Más aún, es claramente discernible la posición de lo masculino como poder organizador y con la capacidad de atribuir nombres al entorno cósmico, en una relación que escinde a la realidad en un dualismo entre el Espíritu trascendente y una Naturaleza de carácter inferior y dependiente.[3] Dios, divinidad masculina por excelencia, no crea el universo de la nada sino que como un artífice da forma a lo informe, caótico y vacío ("La tierra, empero, estaba informe y vacía, y las tinieblas cubrían la superficie del abismo, y el Espíritu de Dios se movía sobre las aguas", Génesis I, 2); de manera significativa, el caos y no la nada será posteriormente el instrumento de la ira divina, como es el caso del diluvio. De modo similar, se postula al primer hombre con una función de nombrar que tendrá importantes implicaciones a nivel de una producción cultural que permanecerá casi exclusivamente en el ámbito de un Hacer masculino ("Formado pues, que hubo de la tierra el Señor Dios todos los animales terrestres y todas las aves del cielo, los trajo a Adán, para que viese cómo los había de llamar; y en efecto todos los nombres puestos por Adán a los animales vivientes, éstos son sus nombres propios", Génesis II, 19). Por lo tanto, la divinidad masculina resulta ser la modeladora de un entorno natural que el hombre culturizará atribuyéndole, en primera instancia, un nombre, acto de nombrar que es también signo de dominio ("Y por fin dijo: Hagamos al hombre a imagen y semejanza nuestra: y domine a los peces del mar, y a las aves del cielo, y a las bestias, y a toda la tierra, y a todo reptil que se mueve sobre la tierra", Génesis I, 26). Por otra parte, es sólo porque los animales y las aves no resultan para Adán una ayuda que le sea semejante, que Dios decide crear a una mujer la cual vendrá a suplir un vacío y una carencia, en su calidad de complemento para la totalidad masculina ya creada. Estamos aludiendo acá al segundo relato de la Biblia el cual significativamente ha predominado en las interpretaciones y difusión del dogma cristiano.

Es este aspecto de una complementariedad derivativa el significado básico del nombre "varona" (*ishshsh* de *ish* varón) otorgado por Adán a la mujer recién creada ("Y dijo o exclamó Adán: Esto es hueso de mis huesos, y carne de mi carne: llamarse ha, pues, varona, porque del hombre ha sido sacada". Génesis II, 23).[4] Será sólo después de la caída y la pérdida del Paraíso cuando Adán la llamará Eva, palabra que significa "dar la vida" y "madre de todas las cosas". Si Adán, modelado en polvo de la tierra como imagen de Dios, representa la culminación de una obra de artífice que ha dado forma a lo informe, la varona, como su nombre lo indica, se origina de manera endógama a partir de la costilla de Adán en una relación Mismo/Otro, similar a aquélla de la maternidad procreativa femenina. Ella es una prolongación y una derivación que únicamente adquiere un nombre autónomo, luego de convertirse en una figura peligrosa que causa la caída y la pérdida del Paraíso.

El pecado es, entonces, el umbral que le permite ser nombrada a partir de su identidad biológica anclada en la maternidad. Y el pecado es, asimismo, la causa de un castigo en el cual significativamente se insertan el dolor del parto y la sumisión ante el esposo ("Dijo asimismo a la mujer: Multiplicaré tus trabajos y miserias en tus preñeces; con dolor parirás los hijos y estarás bajo la potestad o mando de tu marido, y él te dominará". Génesis III, 16). Este entrelazamiento de lo biológico y lo social permite, una vez más, reiterar la anulación de la autonomía de la mujer, ya no sólo presentada como fragmento complementario sino como madre bajo las órdenes y el poder de su cónyuge, como cuerpo reproductor subordinado a la Ley patriarcal.

De este modo y como lo indica el epígrafe que inicia esta sección, el énfasis desde sus comienzos está en la Ley y la Palabra del Padre (Dios, hombre), sinónimo de territorio generador, tanto de una ordenación y modelación de lo natural como de la mujer en un carácter estrictamente derivativo, mientras la función maternal asociada con la Naturaleza se subordina en la jerarquización que atribuye a lo masculino, en su carácter de productor de Cultura (modificación del entorno natural), un lugar superior. Por haber sido creado primero corresponderá, en la filosofía de la Edad Media, a la sustancia, la unidad o la mónada; mientras Eva, en su carácter derivativo, se asociará con el inicio de la división y la diferencia, con lo diádico.

Adán: imagen de Dios que continúa la labor creativa y reordenadora de su creador, lodo infundido por un soplo divino. Eva (varona): costilla de la imagen de Dios, procreación masculina susceptible a la tentación del pecado, madre castigada. El carácter derivativo y subordinado de Eva considerada la primera mujer por una tradición cultural que relega a Lilith al espacio infernal de la tentación sexual, se enfatiza en las epístolas de San Pablo quien aseverará: "El varón no debe cubrir la cabeza, porque es imagen y gloria de Dios; mas la mujer es gloria del varón, pues no procede el varón de la mujer, sino la mujer del varón; ni fue creado el varón para la mujer, sino la mujer para el varón" ("Epístola a los Corintios", II: 7,9). En este discurso apostólico de gran influencia en la teología cristiana, se delínea una estructuración de la jerarquía patriarcal a partir de la ecuación aritmética y lineal que supone al hombre en un lugar similar al de Dios, en su relación con la mujer. Concepto que se hace aún más explícito en la siguiente afirmación de San Pablo: "Las casadas estén sujetas a sus maridos como al Señor, porque el marido es cabeza de la mujer, como Cristo es cabeza de la Iglesia... Y como la Iglesia está sujeta a Cristo, así las mujeres a sus maridos en todo" ("Epístola a los Efesios" 5: 22; 24-5).

En la patrística teológica, la subordinación femenina no sólo implica un acto de devoción sagrada en la ecuación Hombre-Dios sino que también supone la imposibilidad racional de que un complemento asuma la posición de la Totalidad, concepto desarrollado por San Agustín quien en *De Trinitate* (7.7.10) afirma que Eva y la mujer en general es únicamente la imagen de Dios cuando está unida a su esposo. Por el contrario, el hombre por sí solo constituye una imagen completa de Dios, con o sin la compañía de la mujer. La inferioridad intrínseca atribuida a la mujer cuya semejanza con Dios depende de su unión con el hombre, se hará más evidente en el pensamiento de Santo Tomás de Aquino quien, siguiendo la posición de Aristóteles, afirmará que la jerarquía hombre-mujer es parte de un orden natural creado por Dios.[5]

Desde una perspectiva contemporánea, es evidente que la naturalización del hombre como Totalidad y de la mujer como complemento que depende de dicha Totalidad responde a un mecanismo de poder y de saber reafirmado por dos procesos simultáneos: la violencia totalizante del sujeto y la violencia excluyente de otros sujetos que se mantienen en posición subordinada, no sólo al nivel concreto de lo social e histórico sino también en las modelizaciones culturales.[6] El problema para este discurso teológico, masculinamente anclado en los fundamentos de la razón y la lógica, es justificar los aspectos siniestros e imperfectos de lo femenino que a nivel social ya constituyen, durante la Edad Media, un mito en el sentido que Roland Barthes le adscribe como un proceso de conceptualización y significación del mundo que está motivado por la necesidad de mantener el orden dominante y se presenta a sí mismo como si fuera el orden natural.[7] ¿Es posible que Dios haya creado algo imperfecto sobre la tierra?—se pregunta Santo Tomás de Aquino; para recurrir, en su respuesta, a un argumento de carácter biológico, aseverando que si bien la mujer es defectuosa en su naturaleza individual, sí pertenece a la totalidad perfecta por su rol procreativo. Esta ambivalencia implícitamente impone una frontera entre la mujer como individuo particular (ente histórico y social) y la mujer como cuerpo reproductor de la especie, haciendo de lo femenino un territorio en el cual sólo lo biológico es redimible.

Si bien la subordinación social de la mujer durante la Edad Media y el Renacimiento ha sido originada por su exclusión de la producción económica y cultural, es importante señalar que, en el discurso teológico que reafirma dicha estructura, la inferioridad de la mujer, en su carácter de complemento susceptible al pecado y sujeto a la ley masculina, se postula como parte del dogma de la Santa Escritura, es decir, como una verdad revelada por el testimonio infalible de Dios. Por consiguiente, se la define a partir de la certeza de la fe, *lumen fidei* que la relega al espacio borroso y siniestro de un No-Sujeto imperfecto y pecaminoso.

Dentro de esta tradición misógina, la bruja es tal vez la

figura en la cual se concentran de manera más relevante las tintas oscuras, pues en ella se reitera la asociación patriarcal de la magia con los elementos femeninos de la noche y la luna. En la tradición hispánica, las prohibiciones impuestas a la práctica de la hechicería arrancan del *Fuero Juzgo*, traducido a la lengua castellana en 1241. En este documento, se condena a aquéllos que utilizan yerbas venenosas para hacer daño a otras personas, a los que echan a perder el vino y las cosechas con sus conjuraciones y a los que invocan al demonio para hacer daño y le rinden sacrificios nocturnos. Entre las numerosas bulas papales y cánones de concilio en que se condena la práctica de la brujería,[8] se destaca la bula *Summis Desiderantes Affectibus* proclamada por Inocencio VII en 1484 quien daba a los inquisidores plena autoridad para erradicar la herejía. En respuesta a este documento papal, los inquisidores James Sprenger y Heinrich Kramer publican en 1486 el manual sobre la persecusión de las brujas titulado *Malleus Maleficarum* en el cual, aparte de explicar treinta y cinco procedimientos de tortura para obtener una confesión, explican por qué la mujer es más inclinada a la práctica de la brujería afirmando:

Con respecto a la primera pregunta de por qué se encuentra un mayor número de brujas en el frágil sexo femenino que entre los hombres, es en realidad un hecho que resulta ocioso contradecir... Puesto que las mujeres son mas débiles tanto en mente como en cuerpo, no es sorprendente que sucumban al maleficio de la brujería. Con respecto a lo intelectual, o a la comprensión de las cosas espirituales, ellas parecen ser de una naturaleza diferente a la de los hombres... Además de ello, la razón natural explica que es más carnal que el varón, como se demuestra por sus múltiples torpezas carnales. Podría notarse además, que hay como un defecto en la formación de la primera mujer, porque fue formada de una costilla curva, es decir, de una costilla del pecho, que está torcida y es como opuesta al varón. De este defecto procede también que como es animal imperfecto, siempre engaña. Y todo esto está indicado por la etimología de la palabra, porque *Femina* viene de *Fe* y *Minus*, ya que ella es siempre más débil para mantener y conservar la fe. Por lo tanto, una mujer maligna es por naturaleza más rápida en perder su fe y en consecuencia más rápida para abjurar de la fe, que es la raíz de la brujería.[9]

Desde una perspectiva moderna, resulta altamente significativo el hecho de que en el discurso inquisitorial de Sprenger y Kramer se inserte un argumento científico (la costilla curva de Adán) como modificación del relato del Génesis. Si la imperfección e inferioridad de la mujer tenían sus orígenes sagrados en la Creación y la Pérdida del Paraíso Terrenal, en este nuevo discurso en los albores de la Modernidad, se racionaliza lo sagrado retextualizando los orígenes de la mujer para hacer de ella un animal imperfecto, frágil, carnal y hereje. Simultáneamente, se naturaliza su imperfección a partir del signo designativo *Femina*, como recurso etimológico que, aunque falsamente adulterado, revela en sí el proceso ahora válido de otorgar valor a la palabra humana *vis a vis* la palabra divina. Como se demostrará posteriormente en este estudio, serán precisamente la Ciencia y el Lenguaje los nuevos recursos de los cuales se valdrá el patriarcado para definir a la mujer en un proceso que coincide con la evolución de las ciencias a partir del Renacimiento.

La persecusión y quema de miles de mujeres entre el siglo XIII y el siglo XVII no responde solamente a su asociación con el demonio, la herejía y el pecado, según el discurso oficial masculino, pues es evidente que subyace también el temor a un poder subversivo femenino que el sistema patriarcal intenta reprimir. Basta, en este sentido, analizar las representaciones elaboradas por la imaginación masculina en las cuales se destaca la inversión del modelo social adscrito a la mujer en su función de madre sumisa y feble. Así, se creía que, en las ceremonias de los aquelarres, las brujas se comían a los niños y se untaban el cuerpo con la sangre de ellos. Pero, aparte de hacer de ellas anti-madres, con la capacidad satánica de castrar la potencia sexual masculina, en estas representaciones también se invierte el rol doméstico femenino al figurárselas montadas en palos de escoba o en mangos de rueca, haciendo de los utensilios domésticos un instrumento de levitación demoniaca en la cual el vuelo pierde su significado tradicional de trascendencia espiritual. El hecho de que muchas de estas mujeres acusadas de ser brujas hayan practicado el oficio de parteras o curanderas no es simplemente una coincidencia. Desde una perspectiva contemporánea, resulta obvio que, en los actos de persecusión, subyace el temor a una subcultura femenina en la cual se destaca el conocimiento y uso de yerbas y las prácticas en la cocina. De allí que, por ejemplo, se las acusara de hacer sus filtros de amor cocinando frijoles o testículos de gallo.

Si despojamos de todo rasgo siniestro a la figura de la bruja revolviendo su caldero, ella se asemeja a un alquimista realizando la praxis de la transformación de la materia. Sin embargo, en el discurso masculino de la alquimia, se inserta el ideologema patriarcal de la búsqueda y trascendencia espiritual que le otorga, a nivel de los valores hegemónicos, una posición de autoridad. El objetivo de los filtros de amor estaba, por el contrario, asentado en una situación histórica inmediata que no admitía propósitos metafísicos puesto que la subsistencia de la mujer dependía exclusivamente del amor que ella produjera en un hombre quien la podría mantener, si la elegía como esposa.

En el caso específico de Latinoamérica, los documentos dejados por la Inquisición ponen en evidencia el hecho de que las prácticas de hechicería y magia sexual respondían al objetivo de resistir e invertir las estructuras de poder subyacentes en las relaciones entre hombre y mujer. Si el hechizo producido por "los polvos del buen querer" aseguraba el amor incondicional de un hombre, las pócimas de yerbas, sudor y sangre menstrual en las comidas servían para "asimplar" o "amansar" al marido que agredía a golpes y "ligarlo" o quitarle su potencia sexual si practicaba el adulterio. Este propósito transgresor de hacer al hombre sumiso produjo, entre las mujeres, importantes relaciones interraciales que recién ahora empiezan a ser estudiadas en un contexto en el cual la sub-cultura de la mujer se elabora en la fusión cultural de la hechicería africana, indígena y europea.[10] Por otra parte, en las modelizaciones en las cuales la bruja vuela sobre un macho cabrío, se pone en evidencia no sólo el anti-modelo de la pasividad sexual prescrita por rígidos códigos morales, sino también el temor a una sexualidad femenina que los documentos canónigos de la época intentan reprimir a través, por ejemplo, de la aceptación de las prostitutas como un mal necesario.[11] En este sentido, las siguientes aserciones de Sprenger y Kramer son altamente explícitas:

Concluyamos pues: todas estas cosas de brujería provienen de la pasión carnal, que es insaciable en estas mujeres. Como dice el libro de los proverbios: hay tres cosas insaciables y cuatro que jamás dicen bastante: el infierno, el seno estéril, la tierra que el agua no puede saciar, el fuego que nunca dice bastante. Para nosotros aquí: la boca de la vulva. De aquí que, para satisfacer sus pasiones, se entreguen a los demonios. Podrían decirse más cosas, pero para quien es inteligente, parece bastante para entender que no hay nada sorprendente en que entre las mujeres haya más brujas que entre los hombres. En consecuencia se llama a esta herejía no de los brujos, sino de las brujas, porque el nombre se toma de los más importantes. Bendito sea el altísimo que hasta el presente preserva al sexo masculino de un ataque semejante: el que ha querido nacer y sufrir en este sexo le ha concedido el privilegio de esta exención.[12]

La sexualidad femenina es, en este discurso inquisitorial, un sinónimo del fuego como signo bisémico del infierno y la boca insaciable de la vulva, razón por la cual al fuego del pecado se le imponía el fuego purificador del castigo representado por la hoguera a la cual se condenaba a las brujas. Significativamente, junto con esta preconcepción de la sexualidad de la mujer como exceso pecaminoso, Sprenger y Kramer expresan también un temor a la castración del hombre, miedo ancestral que los hace decir que las brujas guardan órganos sexuales en nidos o cajas en las cuales se mueven como serpientes y se alimentan de maíz y avena.

Y, en esta construcción imaginaria marcada, en nuestra opinión, por una elaboración hiperbólica del mal y la lujuria, resulta revelador el hecho de que, para dicha perspectiva ideológica, el sexo masculino, elegido por Dios para darle forma humana a su hijo redentor, esté exento de pecado en su actividad sexual que no se considera, de ninguna manera, excesiva. Además, en la madre de Jesucristo, la boca de la vulva está herméticamente cerrada y, por ende, no existe.

Desde la perspectiva de las oposiciones binarias tan caras al falogocentrismo, la figura de la Virgen María se podría sencillamente comprender como el término opuesto que redime a la mujer, como la Madre benéfica que equilibra los rasgos negativos del arquetipo de la Madre Terrible representado por Eva. Sin embargo, un análisis más detallado del proceso histórico de construcción de dicho mito, reitera el ideologema de la complementariedad femenina como signo cultural de una subordinación social y económica. En este sentido, resulta significativo el hecho de que la primera vez que se alude a la madre de Jesucristo sea en la Epístola a los Galateos de San Pablo, probablemente escrita hacia el año 57 D. C., en ella, el apóstol, para dar relieve al carácter humano de Jesucristo, hijo de Dios, señala que fue hecho de mujer. Las referencias posteriores del Nuevo Testamento en los evangelios de San Mateo, San Lucas y San Juan son asimismo escuetas y la Virgen, en estos relatos, es una figura secundaria, casi accesoria en el escenario mesiánico. ¿A qué se debe entonces la importancia que ella adquiere como Madre de Dios, Reina de los Cielos y Reina de la Iglesia? Como demuestra Marina Warner en su exhaustivo estudio, el eje generador no se origina en ella misma sino en la figura de Jesucristo como hijo de mujer.[13] Las marcas indelebles del pecado original y la tendencia humana hacia la tentación pecaminosa, especialmente en la mujer, forzó ideológicamente a eximir a Jesucristo de toda impureza, a hacerlo nacer de un útero virginal, de una mujer que milagrosamente no nació con el pecado original.

Dentro de este contexto de la complementariedad, no es de extrañar que sólo uno de los cuatro dogmas acerca de la Virgen María aparezca en las Santas Escrituras: el que sea madre de Dios. Su virginidad, su concepción inmaculada y su asunción al cielo serán proclamadas más tarde en el año 649, en 1854 y en 1950 respectivamente.

La maternidad virginal, representada como una bendición, se contrapone a la maternidad de Eva, postulada en el Génesis como un castigo. Bendición que origina acalorados debates en los cuales el discurso teológico intenta probar su condición de *virgo intacta* en la concepción, el parto y el post-parto, *Aeiparthenos* que, en su calidad de por siempre virgen, no sólo la ubica en la contradicción biológica de ser madre y virgen sino que también permite borrar la fisicalidad femenina. Si bien el nacimiento virginal proviene de la mitología clásica (se creía, por ejemplo, que Pitágoras y Platón habían nacido de una mujer virgen por el poder de un espíritu santo), lo significativo resulta, no de la apropiación cristiana de un leit-motif que funciona como símbolo de la suspensión del orden natural de la maternidad, sino de la imposición de un orden social que, junto con anular el cuerpo femenino, prescribe la pureza como modelo ético de la femineidad.

Y el espacio borrado, para enfatizar lo considerado positivo, se metaforiza a través de la luz, como signo de una virtud que despoja a la impregnación de todo placer. Dicha impregnación se describe como el paso de un rayo de luz que deja intacto el himen, de la misma manera como el parto hace de la virgen una estrella que da luz sin perder su virtud. Intangibilidad de la luz que supone también un parto sin dolor, sin un murmullo o lesión, según *Meditacio-*

nes acerca de la vida de Nuestro Señor, libro escrito alrededor del 1300 supuestamente por St. Bonaventure. Las imágenes del útero virginal como jardín cerrado y fuente sellada inscriben, en la anulación de la sexualidad, la marca hermética del himen no penetrado que posteriormente devendrá en la aniquilación violenta del cuerpo femenino, propiciada por el ascetismo cristiano. Por la santa defensa de su virginidad, Eufemia será decapitada, Juliana puesta en una rueda que le destrozará hasta la médula de los huesos y los pechos de Agata serán cortados. Martirios en los cuales la destrucción de lo corporal es signo de fuerza espiritual. Este proceso de abstracción del cuerpo para significar espiritualidad no se restringe solamente al territorio vaginal. La leche es también un signo que, si en sus comienzos subrayaba la humanidad del Niño Dios, devino en símbolo, durante la Edad Media, del eterno misterio del alma cristiana alimentada por la gracia divina. Por otra parte, hacia el siglo XIII proliferan las reliquias en las cuales se guardaba la leche de la virgen, ahora asociada con sus poderes de intercesión y cura milagrosa de las enfermedades. Aunque el pecho virginal se representa desnudo en la pintura de la época, hacia el siglo XV desaparece del repertorio simbólico en protección de un pudor femenino que aboga por pesadas vestiduras y mantos que hacen de su rostro y sus manos los únicos elementos corporales de la santidad virgen, como signo religioso y social de la castidad sexual femenina.

Simultáneamente, las vestiduras son también el signo del poder temporal de la institución teocrática de la Iglesia. La Virgen María, en su dimensión de *Maria Regina* y *Regina Caeli*, se inserta, en la jerarquía celestial y en la jerarquía eclesiástica, como única figura femenina en un orden eminentemente patriarcal. Como madre de Dios y madre de la Iglesia reitera, sin embargo, una subordinación que, a nivel divino, hace de ella sólo una mediadora e intercesora de los seres humanos ante Dios. Del mismo modo como, en la administración de sacramentos y en los debates teológicos, ella representa a la madre simbólica y silenciosa, a la voz femenina ausente en un sistema en el cual prevalece la polifonía del Padre celestial y los padres canónigos y papales.

Aparte del rostro y las manos, surge hacia el siglo XIV, el llanto como otro elemento de su fisicalidad restringida, lágrimas y dolor virginal que reiteran nuevamente la función de la Virgen, no como Sujeto sino como un Otro que sirve de instrumento mediador para hacer más humanamente comprensible y, a nivel afectivo o emocional, el suceso sagrado de la crucifixión. Virgen María: Rosa sin espinas. Esta imagen profusamente usada en cánticos y poemas pone de manifiesto la singularidad de una figura femenina en la cual los procesos de abstracción e idealización la ubican, por sobre todas las mujeres, para ser Mujer Excepcional, Mujer a Medias, desprovista de sexualidad, de dolor en el parto, de muerte. Despojar a la rosa de sus espinas significa, en última instancia, apropiarse de lo maternal femenino sólo en sus aspectos gratos y beneficiosos para la ideología patriarcal en su manifestación teológica. Y en los terrenos de la apropiación, no resulta sorprendente que la tradición mariana comience en el siglo XIII a expresar su culto a través del amor cortés, fenómeno literario que, bajo la influencia del Neoplatonismo, abstrae de la mujer su belleza física para equipararla a una belleza espiritual que la asemeja a la Virgen. Pero, esta idealización de la mujer está muy lejos de concederle un lugar como Sujeto. Por el contrario, ella sólo es el vehículo de un amor terrenal que hará trascender al amante a una unión y armonía con Dios y consigo mismo, la amada es también un recurso o pretexto del Sujeto masculino para el encantamiento y la alegría del canto. Si, como comenta Julia Kristeva, la significación literal del mensaje cortesano posee como objeto referencial a la Dama metafóricamente designada como Soberana, el texto implícito se refiere a la alegría del canto y al exceso de sentido introducido por la sintaxis indefinida, la paradoja y la metaforicidad del propio vocabulario.[14] La Dama significativamente sin nombre es, por lo tanto, un destinatario imaginario, plasmación de las leyes del amor cortés que, como modelización de la imaginación masculina, no modificaron en absoluto la estructura social pues, si bien esta Dama, en su función de recurso literario, era la ama y señora del trovador, siguió permaneciendo, en su condición de ente histórico, como vasalla de su marido.

En el caso específico de Hispanoamérica, se hace evidente este fenómeno de abstracción marianista como, acertadamente, comenta Penélope Rodríguez Sehk al afirmar:

Es el caso de su aparición en el llamado "Nuevo Mundo". Los "caballeros de la virgen" (como eran denominados los conquistadores), son quienes traen por primera vez las advocaciones marianas en forma de escudos, imágenes, medallas, banderas y, sobre todo, *nombres*. María, antes que una creencia fue un nombre, una señal, una marca. Ciudades, pueblos, montes, ríos, calles, plazas, templos e iglesias fueron llamados con su nombre; nuestra geografía abunda en nombres marianos y, recordemos que no hace mucho tiempo, en 1946, el Papa Pío XII proclamó a Colombia "Tierra de la Virgen".[15]

Y el nombre e imagen de la Virgen María permaneció, durante la Conquista, como la abstracción, en un proceso de apropiación masculina, que tuvo, en su referente histórico concreto, la violación sistemática de la mujer indígena. En un fenómeno de tipo similar, ella se convirtió en patrona de los ejércitos libertadores, no obstante se mantuvo a la mujer criolla en el territorio marginal de la Historia, una vez lograda la independencia.

Es precisamente este desfase entre Historia y Construcción Imaginaria el aspecto fundamental que las interpretaciones no problematizadoras de la Virgen María tienden a omitir, haciendo de ella la figura reivindicadora de Eva. Sin embargo, a este culto de lo materno en el discurso teológico, se opone históricamente una devaluación absoluta de la mujer en su rol primario de madre, el único rol que el sistema social le permite. Continuando la hipótesis genética de Aristóteles en la cual la mujer se consideraba únicamente como un receptáculo nutritivo y animal de la materia que recibía forma y vida a través del hombre, Alberto Magnus y Tomás de Aquino conciben la participación masculina en la procreación como fuente de la vida y el espíritu, en una acción que se asemeja a aquélla de Dios en la Creación. Curiosamente, los avances científicos parecen confirmar la teoría de la supremacía masculina en la procreación. El descubrimiento de los espermatozoides en 1677 realizado por Ham y Leeuwenhoek sustentan el concepto del semen como fuente original de la vida y fuerza propulsora, en contraposición al útero, como recipiente pasivo que no contribuye en el proceso procreativo y, hacia fines del siglo XVII, empiezan a proliferar los croquis y dibujos en los cuales cada espermatozoide contenía un ser humano diminuto ya esbozado.

Dentro de este contexto, no resulta extraño que la genialidad de William Harvey, descubridor de la circulación de la sangre, se equivoque al declarar en 1651 que la mujer es fecundada con el fluido espermático, sin proveer ella misma ningún tipo de agente activo corporal del mismo modo como una plancha de hierro se magnetiza en su contacto con un imán.[16]

Por consiguiente, esta conceptualización de lo masculino como sinónimo de la actividad procreadora y lo femenino como receptáculo pasivo reitera una inferioridad biológica de la madre la cual, en el núcleo familiar, se subordina al poder jerárquico del *Pater Familias*. Resulta sorprendente constatar que esta visión devaluadora de la mujer en su función reproductiva recién será modificada por las investigaciones de Karl Ernst von Baer en 1827 y de H. Fiol en 1877 quienes pondrán de manifiesto su importancia vital en el proceso de la procreación.

Dados estos hechos históricos que constituyen el contratexto de la mitificación consagrada de la madre, el culto idealizante de lo materno simbolizado por la Virgen María parece ser una construcción de la imaginación cristiana patriarcal que, aparte de complementar a la divinidad masculina, viene a suplir, de una manera también complementaria, las carencias del lenguaje. En este sentido, resulta acertada la siguiente afirmación de Julia Kristeva quien comenta:

La creencia en la madre se arraiga en el miedo fascinante de una pobreza: la pobreza del lenguaje. Si el lenguaje no puede situarme ni me permite expresarme para el otro, yo presumo, quiero creer, que alguien ha de suplir lo que falta en esa pobreza. Alguien, una persona *antes* de que eso me hable, antes de que la lengua se me transforme en fronteras, separaciones, vértigos. Al afirmar que "en el principio era el Verbo", los cristianos debían hallar ese postulado lo suficientemente difícil de creer como para agregarle, para mayor utilidad, una contraparte, doblez permanente: el receptáculo materno. Así el contenido, el amor, no disminuye, como sucede con tanta frecuencia a los blancos que dejan los signos. En ese sentido, a toda creencia, angustiada por definición, la sostiene el fascinante miedo de la impotencia del lenguaje: todo Dios, y hasta el del Verbo, reposa en una Diosa-madre.[17]

Partiendo de un proceso que caracterizará de manera esencial a los diversos sistemas construidos por el falogocentrismo, Eva y la Virgen María constituyen la utilización de lo Otro femenino para reafirmar lo creado como propio, en un diseño de figuras contrapuestas que simultáneamente plasmarán, a nivel ético y social, los modelos del Deber Ser y el No-Deber Ser para la mujer como ente histórico, social y ontológico. En este sentido, se podría aseverar que Eva y la Virgen María son también las madres de la prescripción, como recurso ideológico del grupo dominante para mantener y perpetuar la subordinación del grupo dominado.

La modalidad hermética de la femineidad

"Del cuidado que se ha de tener de la virginidad"
"El mismo Dios no puede restituir la virginidad a quien la pierda"
"Del cuidado que en la virgen se ha de tener en cuanto al cuerpo"
"No han de beber vino, ni comer nada ardoroso o excitante"
"Modestia del traje que conviene a la virgen"
"Conveniencia del poco salir y de vivir en retiro absoluto"
"La virgen retraída y silenciosa concebirá a Cristo en sus entrañas"
"Cúbranse los pechos y la garganta"
"Guárdese de reír sueltamente ni cacarear"

Juan Luis Vives. Instrucción de la mujer cristiana

Cinturón de castidad: Artilugio inventado por el hombre, alrededor del siglo XII y que, aplicado al bajo vientre y zona genital de la mujer, permitía por un pequeño orificio, la emisión de orina y/o sangre, pero impedía el acto sexual.

(Diccionario ideológico feminista)

La construcción patriarcal de la *virgo intacta* representada por la Virgen María posee, a nivel de la prescripción, la imagen del himen no penetrado como signo seminal de una modalidad de la femineidad que se recluye y se domina a partir del hermetismo. Si, en su significado primario, el himen sin mácula supone la castidad como virtud femenina que, en las palabras de Juan Luis Vives, se define como "cuerpo cerrado y no tocado de varón",[18] de él se derivan otras modalidades de la herméticidad que regulan, no sólo modos éticos de conducta sino también actividades íntimamente ligadas al cuerpo y la identidad femenina como el comer, el vestir y la expresión en el lenguaje.

El discurso prescriptivo de Vives en *Instrucción de la mujer cristiana* (1524) se fundamenta en la semejanza absoluta que debe existir entre la mujer y la Virgen María como madre, hija y esposa de Dios. Es más, la imagen sacra como símbolo de la castidad resulta ser la única posesión de la mujer dentro de un orden social y económico que Vives plantea como natural e inherente en los sexos, al aseverar:

> A los hombres muchas cosas les son necesarias. Lo primero tener prudencia y que sepa hablar, que sea perito y sabio en las cosas del mundo y de su república, tengan ingenio, memoria, arte para vivir, ejecute justicia y liberalidad, alcance grandeza de ánimo, fuerzas de cuerpo y otras cosas infinitas. Y si algunas de éstas le faltan, no es mucho de culpar con que tengan algunas. Pero en la mujer nadie busca elocuencia ni bien hablar, grandes primores de ingenio ni administración de ciudades, memoria o liberalidad; sola una cosa se requiere en ella y ésta es la castidad, la cual, si le falta, no es más que si al hombre le faltase todo lo necesario. (p. 56)

Por consiguiente, el valor moral de la virtud inserta en la membrana cerrada del himen se designa en términos de la propiedad material para hacer de ella una joya, una perla, un preciado tesoro "que no se puede vender por ningún precio" (p. 52). No obstante Vives plantea la castidad como limpieza del alma y del cuerpo, su énfasis ideológico se da en lo corporal como fuente y origen de tentación, razón por la cual sus instrucciones van dirigidas a los modos de "cerrar todos los pasos de los sentidos" (p. 56).

Y cerrar los sentidos significa practicar la continencia para hacer del cuerpo femenino un continente clausurado a todo tipo de placer o "hachas ardientes" (p. 62) engendradas por la comida, el baile, los olores, la vista e incluso la cama en la que se duerme. Anulación del cuerpo que se reitera, a nivel público, en el acto de encubrirlo con pesadas vestiduras ("Con todo esto, saliendo la doncella fuera, guárdese de no traer los pechos descubiertos ni la garganta, ni ande descubriéndose a cada paso con el manto, sino que se cobije el rostro y pechos, y apenas descubrirá el uno

de los ojos para ver el camino por donde fuere...", p. 122).
No obstante el matrimonio implica la apertura del himen, estado considerado como inferior en la ideología cristiana de la época, la castidad sigue siendo la virtud por excelencia que exige de la mujer casada el retiro y reclusión
en el espacio cerrado del hogar doméstico. Por esta razón,
no es de extrañar que se den coincidencias significativas
entre el discurso prescriptivo de Juan Luis Vives y aquél de
Fray Luis de León en *La perfecta casada* (1583), manual en
el cual clausurar el cuerpo, tanto al uso de cosméticos y
atavíos no castos como a los espacios públicos de la calle y
el lenguaje, configura la perfección moral de la mujer en su
carácter exclusivamente complementario y subordinado al
marido. Las instrucciones de Vives tienen como objetivo
enseñar la virtud y prevenir el pecado en la mujer concebida como de pensamiento frágil y ligero, altamente susceptible a las tentaciones del placer y el demonio que son
lo mismo. Este concepto misógino se hace aún más explícito en el discurso de Fray Luis quien declara que la naturaleza de la mujer es "flaca y deleznable más que ningún
otro animal".[19] Por consiguiente, la perfección resulta, en
el caso de la mujer, una empresa de dimensiones monumentales, como se pone de manifiesto en la siguiente argumentación de Fray Luis: "Porque cosa de tan poco ser como
es esto que llamamos mujer, nunca ni emprende ni alcanza cosa de valor ni de ser, sino es porque la inclina á ello y
la despierta y alienta alguna fuerza de increíble virtud que
ó el cielo ha puesto en su alma ó algún dón de Dios singu-
lar" (p. 38).

Basándose en las Sagradas Escrituras como intérprete de
las palabras del Espíritu Santo y en el proverbio popular
"Mujer de valor ¿quién la hallará? Raro y extremado es su
precio", Fray Luis, al igual que Vives, establece diferencias
con respecto a la perfección de cada uno de los sexos reiterando la asimetría básica impuesta por el sistema patriarcal al afirmar: "... y para que un hombre sea bueno le basta un bien mediano, mas en la mujer ha de ser negocio de
muchos y muy subidos quilates, porque no es obra de cual-

quier oficial, ni lance ordinario, ni bien que se halla adoquiera, sino artificio *primo* y bien incomparable, ó mejor decir, un amontonamiento de riquísimos bienes" (p. 39). Por lo tanto, la extraordinaria senda de la perfección en la mujer la iguala a "un diamante finísimo" o "piedra preciosa de inestimable valor" (p. 34) y hace de ella "una mujer varonil" (p. 35). Demás está señalar que la hipótesis acerca de la imperfección natural e innata de la mujer es la que origina, en primera instancia, la necesidad de enseñarle; instrucción que posee como objetivo básico hacer de Eva, mujer imperfecta y pecadora, una Virgen María; en otras palabras, esta empresa que, parafraseando a Fray Luis, podríamos calificar también como de dimensiones monumentales, supone aniquilar el Ser Natural para imponer el Ser Prescriptivo. Y en esta aniquilación que se realiza a partir de la clausura del cuerpo, como modalidad hermética de la femineidad, resulta altamente significativo el hecho de que se impongan sólidas mordazas al lenguaje, desde una perspectiva ideológica que equipara la boca cerrada a la virtud. Este concepto tiene sus raíces en el tópico del *molestiae nuptiarum* de la tradición latina y medieval en la cual uno de los grandes defectos de la mujer es hablar demasiado en una cháchara molesta que sólo alude a lo cotidiano y no trascendental. En el discurso de Fray Luis de León, el acto de callar en la mujer responde, por supuesto, a un orden natural. Ubicado en la zona privilegiada del lenguaje sacro y el lenguaje popular, asevera:

Porque, así como la naturaleza, como dijimos y diremos, hizo á las mujeres para que encerradas guardasen la casa, así las obliga á que cerrasen la boca; y como las desobligó de los negocios y contrataciones de fuera, así las libertó de lo que se consigue á la contratación, que son las muchas pláticas y palabras. Porque el hablar nace del entender, y las palabras no son sino como imágenes o señales de lo que el ánimo concibe en sí mismo; por donde, así como á la mujer buena y honesta la naturaleza no la hizo para el estudio de las ciencias, ni para los negocios de dificultades, sino para un solo oficio simple y doméstico; así les limitó el entender, y por consiguiente les tasó las palabras y las razones; y así como es esto lo que su natural de la mujer y su oficio le pide, así por la misma causa es una de las cosas que más bien le está y que mejor le parece. (p. 200).

Si durante la Edad Media se prohibió que la mujer tuviera derecho a la palabra en la Iglesia por ser considerada la puerta del diablo (*janua diaboli*) cuyo lenguaje, desde los tiempos de Eva, conducía a la seducción y la tentación, Fray Luis de León legitima este fundamento escolástico a partir de su exclusión de un ámbito público y económico. Entendimiento cerrado y boca cerrada constituyen, así, la naturaleza y esencia de la mujer, comparada por él, a una tortuga por ser "un animal mudo y que nunca desampara su concha" (p. 201) del mismo modo como ella debe callar y guardar la casa. El silencio es, por consiguiente, parte de una profusa espiral de la hermeticidad que tiene como territorios concretos el espacio de la casa, el cuerpo femenino y el ámbito intangible del entendimiento o capacidad intelectual.

Dentro de este contexto ideológico en el cual el poder patriarcal utiliza la infibulación como recurso de dominio, el cinturón de castidad está muy lejos de constituir una curiosa pieza de museo manufacturada en correas de cuero o terciopelo que sostienen una placa de plata o se cierran con un hermético candado; por el contrario, este artefacto que tiene sus orígenes en el *nudo de Hércules* (cinturón de lana que la mujer griega debía ceñirse en la pubertad y que el marido desataba durante la noche de bodas) deviene en signo, por excelencia, del discurso patriarcal dominante durante la Edad Media y el Renacimiento.

La modalidad hermética de la femineidad debe considerarse, por lo tanto, como una expresión de la territorialidad patriarcal que hace de la mujer una zona estática y cerrada. Sin embargo, desde el enclaustramiento cercado por rígidas fronteras, surge un impulso subversivo que significativamente se realiza a partir del lenguaje como expresión del Ser. En España, la voz "estridente" de María de Zayas y Sotomayor develará en sus novelas publicadas en 1637 y 1647 a los personajes marginalizados de la bruja, la prostituta y la adúltera, como modelizaciones de una femineidad no prescriptiva en la cual el lenguaje es símbolo de una apertura y una guerra como se manifiesta en su siguiente declaración: "...ni en lo hablado ni en lo que hablaré he buscado razones retóricas ni cultas; porque además de ser un lenguaje que con el extremo posible aborrezco, querría que me entendiesen todos, el culto y el lego, porque como todos están ya declarados por enemigos de las mujeres, contra todos he publicado la guerra".[20] Y la guerra, en el caso de esta escritora perdurará hasta el siglo XX, época en la cual sus textos se califican, según el juicio de Ludwig Pfandl, como "una libertina enumeración de diversas aventuras de amor de un realismo extraviado... que con demasiada frecuencia degenera unas veces en lo terrible y perverso y otras veces en obscena liviandad... ¿se puede dar algo más ordinario y grosero, más inestético y repulsivo que una mujer que cuenta historias lascivas, sucias, de inspiración sádica y moralmente corrompidas?"[21]

Si bien la voz culterana y enclaustrada de Sor Juana Inés de la Cruz (1648-1695) no dejó también de tener resonancias ofensivas para el crítico alemán, nos interesa aquí destacar, en su valor subversivo, la contratextualidad que ella opone al modelo prescriptivo de la femineidad en su redondilla en la cual "arguye de inconsecuencia el gusto y la censura de los hombres, que en las mujeres acusan lo que causan". Desconstruyendo el significado convencional de la virtud como única posesión que la mujer debe defender y proteger, Sor Juana deposita la virtud femenina al arbitrio del hombre postulado como Sujeto tentador; es él como imagen especular de Eva, en el código imaginario patriarcal, quien incita al placer sexual juntando "diablo, carne y mundo". La "arrogancia" y "necedad" de los hombres está en el hecho contradictorio de buscar en la mujer la liviandad para luego exigir la castidad ("Queréis, con presunción necia,/hallar a la que buscáis,/para pretendida, Thais,/y en la posesión Lucrecia"). Es más, utilizando estratégicamente recursos retóricos masculinos, Sor Juana no sólo pone en evidencia la falta de lógica y cordura en un sistema axiológico polucionado por la asimetría de los sexos, sino que también desenmascara las contradicciones enajenantes de la virtud femenina dentro del contexto del donjuanismo, modelo predominante de la época en el cual la seducción de las vírgenes se consideraba un índice de virilidad.

El imperio de la Razón y los cercos del corazón

Entre las numerosas interpretaciones del Génesis bíblico se destaca aquélla de Thomas de Vio en su *Commentarii in quinque Mosaicos libros* (1539) que postula la creación de Eva durante el sueño de Adán como una metáfora que explica la imperfección de la mujer, pues ésta fue creada durante un estado de inconsciencia y "semi-virilidad".[22] El sueño es considerado, por supuesto, un ámbito en los márgenes de la razón y ella, como criatura de la inconsciencia, y como "el receptáculo más débil", según el pensamiento escolástico, es sistemáticamente excluida de la actividad intelectual.

Por esta razón, no llama la atención de que en el *Novum Organum* (1620) y *El nacimiento masculino del tiempo* (1653) de Francis Bacon, la labor de la ciencia se defina como el ejercicio de una actividad masculina. Su rechazo de la noción clásica de forma, como objeto de conocimiento en un modelo contemplativo, propicia no sólo la observación y la experimentación como métodos para alcanzar la verdad sino que también da énfasis a la maleabilidad de la Materia susceptible de ser estudiada y utilizada. Pero, aparte de ligar la verdad a la utilidad, Bacon establece una importante conexión entre conocimiento y poder, entre el sujeto científico y el objeto susceptible de ser manipulado. Y para desarrollar este concepto, es interesante observar que acude a la metáfora del matrimonio entre la Naturaleza planteada como mujer y la labor de la ciencia definida como el ejercicio de un dominio masculino sobre ella.[23]

Es obvio que, como parte de la exposición de su método, Francis Bacon utiliza, de modo figurativo, una relación social entre hombre y mujer que, durante la época, correspondía a una estructura de poder, pero más interesante aún resulta el hecho de que la actividad intelectual en sí se plantee dentro del dominio exclusivo de lo masculino.

Y, dentro de este contexto marginalizador, el pensamiento de René Descartes resulta altamente innovador y revolucionario. No obstante en su tratado *Primae cogitationes circa generationem animalium* (1701), él establece diferencias sexuales en la etapa embrionaria e incluso define el temperamento femenino y masculino en términos de la humedad y la sequedad, Descartes explica la diferencia morfológica de los sexos a partir de factores mecánicos y accidentales que, para él, no tienen un valor ontológico; pues define dichas diferencias como modalidades de una misma sustancia que es el cuerpo. De este modo, el filósofo francés no sólo tacha los estigmas bíblicos sino que también trasciende todo determinismo de la materia y lo biológico en un esquema en el cual el cuerpo está en constante relación dialéctica con el alma, el pensamiento y la voluntad que se constituyen como elementos autónomos.

Para René Descartes, los sentidos poseen un valor informativo sobre las cualidades y las cosas; es a través del cuerpo que el espíritu percibe el mundo, pero es este último el que le infunde su sentido y finalidad. Así, si bien la sexualidad originada en el cuerpo pasa por este cuerpo a modo de motivación inicial, es la decisión del espíritu la que transforma lo sexual en una relación amorosa en la cual la transparencia recíproca de dos almas terminan por abolir la opacidad de los cuerpos y sus diferencias.

Puesto que, para el nivel del espíritu, no existen las distinciones genérico-sexuales y lo fisiológico no posee un valor de carácter axiológico, Descartes postula una igualdad esencial entre los sexos e incluso insiste en que la mujer tiene una aptitud semejante a la del hombre en todas las funciones del entendimiento. Es más, como ente individual, la mujer es capaz de apelar a su condición y, a través de la conciencia de sí misma y su libertad, puede incluso rehusar aceptar su especificidad biológica para lograr una igualdad digna. Concepto que resultará señero en el pensamiento feminista de Poullain de la Barre quien, en sus textos *De l'Egalité des deux sexes* (1673) y *De l'Education de Dames* (1674), sienta las bases del movimiento reivindicador de la mujer en los siglos XVIII y XIX.

Sin embargo, en una carta enviada a René Descartes el 20 de junio de 1643, la princesa Isabel ponía de manifiesto las trabas económicas y sociales para el desarrollo del pensamiento de la mujer al afirmar: "... la vida que estoy obligada a llevar no me permite suficiente tiempo libre para adquirir los hábitos de meditación de acuerdo a las reglas que usted propone. Los deberes de la casa que no puedo descuidar y los deberes sociales que no puedo evitar agotan de tal manera mi mente débil con molestias y aburrimientos que mi pensamiento queda totalmente inútil por un largo tiempo".[24] En esta réplica de la princesa Isabel, se delínean dos implicaciones importantes en el pensamiento de Descartes. Por una parte, se está aludiendo a la imposibilidad de entrar en una epistemología que requiere la concentración en la razón y el distanciamiento de la vida emocional, de las particularidades espacio-temporales y del objeto mismo, en aras de lograr la objetividad. Esta separación entre el Yo y el mundo responde, como han demostrado estudios feministas recientes, a una masculinización del pensamiento.[25] Por otro lado, sus palabras desde la ribera de la experiencia femenina, indican un desfase entre lo puramente ideológico e hipotético y las condiciones históricas y concretas de la mujer. Dicho desfase es, en nuestra opinión, el trazo fundamental que tiñe la evolución del pensamiento del siglo XVIII el cual se propone sentar las bases de un nuevo sistema democrático que suplantará al régimen monárquico.

Los escritos de tan importantes figuras como Montesquieu, Diderot y Rousseau, al referirse a la mujer, se desplazan por un terreno minado de contradicciones. Los soportes de la igualdad, tan exaltadamente defendida, dejan ver espacios carcomidos, como en el caso de otros grupos minoritarios, cuando se teoriza acerca del sexo femenino en sus funciones cívicas. Así, a pesar de los nuevos principios, se mantiene a la mujer en la prisión de su propio cuerpo, en el rol primario de madre y esposa. Razón por la cual la instauración de una república democrática, no obstante propició la separación de la Iglesia y el Estado, mantuvo, durante varias décadas, a la mujer en una situación estática en la cual perduraron, a nivel básico, los conceptos escolásticos de lo femenino, como complemento secundario y privado de toda participación activa en el devenir histórico.

Un aspecto que llama la atención en el pensamiento de Montesquieu, quien concibe la pareja humana como la forma primordial de toda relación social, es el hecho de que declare la preeminencia y autoridad del hombre sobre la mujer como un fenómeno que posee fundamentos históricos, pero no lógicos. Concepto que, a primera vista, podría conducir a modificaciones radicales en la institución del matrimonio, sobre todo porque, para él, la unión del hombre y la mujer debe originar simultáneamente un desarrollo de las potencialidades espirituales y la instauración de relaciones jurídicas equitativas. Sin embargo, del mismo modo como la organización democrática se basa en la jerarquía de la autoridad y el consentimiento de los que obedecen un orden teóricamente justo, en la familia, según Montesquieu, debe también existir la desigualdad de hecho en la cual se subordina el interés individual al interés general.

Pero, dentro de este paralelismo que permite comparar al padre con un magistrado, subyace la dicotomía tajante entre la obediencia libremente consentida en un Estado que proporciona leyes y la estructura familiar determinada por los buenos valores, como forma natural de la ley y anterior a ella. Lo público y lo privado, en la teoría de Montesquieu, enmascara la asimetría de los sexos puesto que, si a nivel político, se aspira a la evolución de las relaciones sociales, en el ámbito doméstico, el orden de las familias se postula como natural e inmodificable. Es más, estancando al sexo femenino en la Naturaleza y su sumisión al ritmo biológico, el jurista francés declara que, en un estado democrático, las virtudes privadas de la mujer constituyen sus virtudes cívicas. Y en este esquema binario basado en la diferencia genérico-sexual, las cualidades mismas de ambos sexos difieren oponiendo la libertad del ser masculino a las virtudes medievales de la castidad, el pudor, el respeto y la fidelidad.

¿Cuál es entonces la diferencia entre la situación de la mujer bajo el despotismo y esta otra iluminada por el espíritu de la democracia? La respuesta de Montesquieu se da en el espacio ambiguo de un eufemismo que resultará el recurso recurrente en todo el pensamiento liberal posterior. La diferencia está, nos asegura, en que dentro de un sistema democrático, la mujer consiente libremente a encontrar, en el cumplimiento de sus deberes, la forma única y feliz de su destino. De esta manera, al aseverar que en la mujer el logro exacto de sus deberes debe modelar la forma misma de su existencia, Montesquieu reitera y refuerza los lazos del cuerpo maternal para hacer de la crianza de los hijos y los deberes conyugales la única imagen restrictiva de la identidad femenina.

Demás está hacer notar que este traspaso de lo público a lo privado que justificó el no derecho a voto para la mujer, funcionó también bajo los mecanismos compensatorios que mistificaron la labor doméstica femenina como moldeadora sagrada de los valores espirituales de la Humanidad.

Exclusión y mistificación que permean todo el pensamiento de Jean-Jacques Rousseau en sus planteamientos contradictorios acerca de lo femenino. En su *Nouvelle Héloïse* (1761), se da una modelización imaginaria de la mujer como polo único del pensamiento del hombre, como la figura agente de una plenitud perdida y con la capacidad para liberar al espíritu del reino de lo fortuito. Y, en el himno entonado por Saint-Preux al final de la novela, ella es la quimera que el amante suscita para su sufrimiento y alegría, un objeto querido y funesto, un abismo de dolor y de voluptuosidad.

Pero, en la otra ladera de la pasión imaginada, Rousseau, como pensador social, avanza por una dirección divergente.[26] No obstante la imaginación es concebida como no arbitraria puesto que pone de manifiesto los modelos secretos de la armonía y la justicia, las reservas de Rousseau en su teoría social van dirigidas hacia la pasión. A pesar de que ésta extiende el instante de su intensidad sobre una duración imaginaria y placenteramente prolongada, su carácter, en esencia efímero, la hace vulnerable en el interior de sí misma. Además, aunque posee el valor positivo de acercar a los seres humanos a la Naturaleza, simultáneamente porta en ella el peligro del mal porque, a diferencia del instante, el tiempo de la Historia exige la continuidad, la armonía y el orden. Por lo tanto, la pasión corresponde a un estado de alienación que sólo es posible superar a través del amor en el cual se da la conciliación paradójica entre el instante y el tiempo, entre la insuficiencia y la plenitud, entre la expresión del mundo y la reivindicación de la libertad. Y como fuerza que trasciende el instante inicial del descubrimiento del ser a través de la posesión de uno mismo y del otro, el amor deviene en una convergencia de lo físico y lo espiritual, de lo real y lo ideal, de un orden de la necesidad y un orden de la libertad.

Dentro de este contexto que despoja a la pasión de un significado social y moral, Rousseau concibe el amor conyugal como una inserción dentro del orden que contribuye, tanto al plano ético como a la finalidad cívica. De este modo, la institución del matrimonio monógamo, según su teoría, no sólo cumple con los objetivos naturales de la sexualidad sino que también permite al hombre la libertad adecuada para dedicarse a sus tareas cívicas.

Evidentemente, Rousseau está reiterando la dicotomía entre hombre como individuo político y mujer como entidad biológica que reproduce y protege a la especie. Prioridad histórica de lo masculino que se manifiesta claramente en su *Emilio* (1762) en el cual la educación de Sophie es

63

una especie de epílogo complementario a la formación del joven. Pero este ideologema básico que parece permanecer inmutable desde los inicios del relato bíblico, adquiere, en el discurso prescriptivo de Rousseau, una modalidad argumentativa que caracterizará todas las teorizaciones decimonónicas con respecto al sexo femenino.

El fundamento de la diferencia entre los sexos ya no corresponde al plano dogmático de la fe sino a las leyes de un orden natural creado por un Ser Supremo y que está legitimado, en el contexto histórico, por el avance de la ciencia. En el quinto capítulo que da clausura a la educación de Emilio, Rousseau establece que la mujer, en todo aquello no relacionado con el sexo, es un hombre puesto que posee los mismos órganos, las mismas necesidades y las mismas facultades. Como ley natural, sin embargo, en la unión de ambos sexos, cada uno contribuye a la procreación de manera diferente pues el agente masculino debe ser fuerte y activo, mientras la mujer permanece como ser pasivo y débil que está hecho para agradar y ser subyugado. Es más, en su teoría tampoco existe igualdad entre los sexos con respecto a las consecuencias de la actividad procreadora. Mientras para el hombre, ésta es momentánea y fugaz, la mujer permanece unida constantemente a su dimensión maternal y biológica que se extiende a lo ético requiriendo de ella las virtudes de la fidelidad, la modestia y el pudor.

Si los hombres dependen de las mujeres por sus deseos, éstas dependen de los hombres tanto por sus deseos como por sus necesidades económicas, razón por la cual todos sus posibles méritos son tales sólo una vez que han recibido el reconocimiento de los hombres.[27] Y, aparte de esta diferencia fundamental basada tanto en lo biológico como en lo económico, Rousseau asevera que las facultades comunes a los dos sexos no están distribuidas de la misma manera, aunque unidas se equilibran. Demás está observar que dicho equilibrio, en su pensamiento teórico, se produce en un balancín asimétrico donde las facultades de la mujer se designan como "el complemento del bello sexo". (p. 363) Pero es precisamente esta desigualdad, unida a las diferencias biológicas y económicas, la que le permite a Rousseau proponer que la educación de la mujer debe ser muy diferente a la del hombre, propuesta racional en la que es fácil detectar el regazo escolástico de la mujer como signo fuera del ámbito de lo intelectual y consciente, como ser creado durante el sueño de Adán. Aparte de afirmar que toda su educación debe estar dirigida a agradar al hombre y serle útil, el pensador francés asevera:

La búsqueda de las verdades abstractas y especulativas, de los principios y axiomas de las ciencias, de todo aquello que tiende a generalizar ideas, no está en el ámbito de competencia de las mujeres. Todos sus estudios deben relacionarse con lo práctico. Son ellas las que deben aplicar los principios descubiertos por los hombres y hacer las observaciones que conducirán a los hombres al establecimiento de principios. Con respecto a lo que no está directamente conectado con sus deberes, todas las reflexiones de las mujeres deben estar dirigidas al estudio de los hombres o a los tipos agradables de conocimiento que tienen como único objetivo el buen gusto; con respecto a las empresas de carácter genial, ellas están totalmente fuera del alcance de las mujeres. Tampoco tienen las mujeres suficiente precisión o atención para tener éxito en las ciencias exactas. Y en cuanto a las ciencias físicas, éstas deben ser practicadas por el sexo más activo que se mueve más y ve mayor número de objetos, el sexo que posee mayor vigor y lo utiliza para juzgar las relaciones de los seres sensibles y las leyes de la naturaleza. La mujer que es débil y no ve nada fuera de la casa debe estimar y juzgar las fuerzas que ella pone en movimiento sólo para compensar su debilidad, aquellas fuerzas que despertarán las pasiones de los hombres. (pp. 386-387)

Por consiguiente, Sophie en su calidad de modelo, es hábil en la costura y las finanzas caseras, es pura, es moderada y posee una mente que es "agradable sin ser brillante, sólida sin ser profunda". (p. 395) Totalmente marginada de la actividad cívica e intelectual, no resulta extraño que Rousseau la caracterice como una persona que "tiene una concepción general de todo, sin recordar mucho" (p. 426) y que sus mayores logros estén en los planos de lo ético y del buen gusto. La mujer observa y el hombre razona—afirma Rousseau desde los cuarteles de un nuevo falogocentrismo que moldeará a la mujer burguesa como sinónimo de una intuición capaz de leer el corazón de los hombres. Ser virtuoso que asumirá el rol de ángel del hogar, que construirá un trono en su propio corazón y que hará del ámbito doméstico "el noble imperio de la mujer" (p. 393) porque, para Rousseau y la burguesía ascendente, la mujer reina por el amor y, mientras la autoridad del marido tiene un fundamento natural y político, la autoridad de la mujer se funda en el orden del corazón.

Aparte de las metáforas regresivas de un poder monárquico a punto de ser destruido por la Revolución Francesa, la insistencia en el corazón de la mujer revela, sin lugar a dudas, una contradicción fundamental con el devenir histórico de la época. La oposición binaria entre Cuerpo y Espíritu, dentro del pensamiento teológico que ha perdido su supremacía dominante, da paso en los siglos XVIII y XIX a una teorización que observa y generaliza acerca del cuerpo, como los otros objetos de la realidad, a partir de una metodología científica que se entrega a la ardua tarea de mediciones y cómputos exactos. Pero, dentro de esta rigurosidad objetiva, la mujer, ahora ciudadano de segunda categoría, produce una fisura que, en nuestra opinión, no es más que la brecha estática de lo subordinado. Por esta razón, no resulta erróneo afirmar que el órgano concreto del himen, tan mistificado y regulado en los discursos de Juan Luis Vives y Fray Luis de León se desplaza, en el sistema democrático, al corazón como signo abstracto y científicamente intangible que proporciona, en su inagotable metaforicidad, los recursos para mantener a la mujer en los márgenes de todo devenir histórico.

Analizar los rasgos visibles y dominantes del signo mujer en la cultura de occidente requiere un tipo de problematización que no se da en el caso de otros grupos minoritarios, pues estos se enfrentan constantemente con la dualidad conflictiva del sistema de valores impuesto por el poder hegemónico y las categorías de su propia cultura silenciada. Carente de una cohesión social o cultural, de un *ethos* propio, la mujer, pese a su subordinación generalizada, no pertenece a un grupo social determinado sino que, por el contrario, está dispersa en todos los estratos configurados por la estructura económica. Situación que la inserta en una clase social determinada escindiéndola de las otras mujeres aunque, simultáneamente, comparte con ellas su condición femenina subordinada. Así, por ejemplo, son más que evidentes las diferencias, durante el Renacimiento, entre la campesina y la cortesana y, en el caso específico de Latinoamérica durante el período colonial, a partir de documentos judiciales y testamentos, se puede trazar toda una historia de afectos y antagonismos entre la mujer blanca y sus sirvientas.[28]

Lo interesante de esta doble textura configurada por los factores de sexo y clase social es el hecho que las construcciones culturales de lo femenino, creadas por la clase dominante, han adquirido siempre un valor prescriptivo que afecta los modos de conducta y la identidad de la mujer en todas las clases sociales.

El modelo rousseauniano de la mujer como símbolo de la virtud, la intuición y el buen gusto iba indudablemente dirigido a la dama de salón y no a la trabajadora explotada por la Revolución Industrial. Sin embargo, la amplia difusión de este modelo en folletines y revistas publicadas para el sexo femenino promovió, como antaño la Iglesia, una asimilación de dicho signo por las mujeres pertenecientes a otros estratos sociales.

En su carácter seminal, este modelo hace de la mujer un signo trisémico que continuará elaborándose durante el siglo XIX, época en la cual fue encauzado por tres vertientes principales: la del corazón que la hace ángel idolatrado, la del cerebro pequeño que le impide participar en las actividades intelectuales y la de sus manos o labor doméstica que la fuerza a servir al esposo y los hijos, aunque, paradójicamente, ahora haya sido puesta sobre un pedestal.

Y, entre los ardientes forjadores de este eufemístico y compensatorio trono, se destaca Augusto Comte cuyo pensamiento tuvo una gran influencia en el continente latinoamericano. En muchos sentidos, la teoría de Comte acerca de los sexos reitera los argumentos de Rousseau que legitimizan la inferioridad de la mujer como una ley de la Naturaleza, aunque, en el caso del pensador positivista, se recurre a fuentes científicas y se catalogan las aspiraciones de una ideología feminista en evolución como sueños subversivos. Así, en su "Lección 50" publicada originalmente en el tomo cuarto de *Cours de philosophie positive* (1839), Comte afirma que un análisis biológico demuestra fehacientemente que la mujer permanece en un estado infantil perpetuo y que, de manera similar a aquélla observada en los animales inferiores, ella posee una preponderancia de sus facultades afectivas. Pero, para Comte y su nuevo diseño de un organismo social, esta inferioridad de la mujer con respecto al hombre, en los terrenos de la razón y el entendimiento, debe ser utilizada como soporte moral y sentimental para el grupo masculino en sus valiosas empresas en aras del progreso de la Humanidad.

Partiendo del concepto ya ancestral de la mujer como complemento doméstico del hombre y moldeadora moral de los hijos, Augusto Comte en "La influencia del Positivismo en la mujer", publicado en su *Système de politique positive* (1848), no sólo destaca la obligación de "la clase intelectual" masculina de proveer sustento económico a "la clase afectiva" femenina sino que también señala que el progreso de la condición social de la mujer debe seguir la siguiente dirección: hacer su vida cada vez más doméstica, disminuir al máximo el trabajo fuera de la casa y capacitarla, de manera cada vez más completa, en su rol de educadora de la naturaleza moral de los hombres.

Evidentemente, en el discurso de Comte acerca de la mujer subyace un temor, no el temor a la sexualidad femenina y el demonio como se hacía explícito en los discursos inquisitoriales, sino a un nuevo feminismo beligerante que posee como textos señeros *Vindicación por los derechos de la mujer* (1792) de Mary Wollstonecraft y *La subyugación de la mujer* (1869) de John Stuart Mill. El nuevo culto a la mujer propuesto por Comte como una recompensa por sus servicios, no deja de ser, dentro de este contexto, el recurso mistificante para mantenerla en su rol subordinado de madre y esposa. Práctica de la veneración que el pensador francés define de la siguiente manera:

El Positivismo, entonces, como lo indica la dirección de todo este capítulo, propone, tanto a partir de una base moral como intelectual, que se realice una expresión sistemática del sentimiento de veneración hacia la mujer en la vida privada y pública, a nivel individual y colectivo. Nacidas para amar y ser amadas, eximidas de los deberes de la vida práctica, libres en el sagrado retiro de sus hogares, las mujeres de occidente recibirán de los Positivistas el tributo de la profunda y sincera admiración que sus vidas inspiran. Ellas no sentirán escrúpulos en aceptar su posición de sacerdotisas espontáneas de la Humanidad; ellas ya nunca más temerán a una Deidad vengativa. Desde la niñez, cada uno de nosotros aprenderá a verlas como la principal fuente de felicidad humana y progreso, tanto en la vida pública como privada. Ya no existirá la influencia enervante de creencias quiméricas; y los hombres en todo el vigor de sus energías, sintiéndose los amos de un mundo conocido, se sentirán inmensamente felices de demostrar su gratitud al poder benéfico del afecto femenino. En una palabra, el Hombre en estos días del futuro se arrodillará a los pies de la Mujer y sólo la Mujer.[29]

Indudablemente, el pensamiento de Augusto Comte va dirigido a la perpetuación de la sagrada familia burguesa que, desde la perspectiva disidente y minoritaria de Carl Marx y Fredrick Engels, constituye el primer núcleo de la opresión en el contexto capitalista de la propiedad privada. Sin embargo, dentro del ascendente desarrollo de una economía del libre cambio, la acerba denuncia de Marx con respecto a la explotación de la mujer trabajadora y las postulaciones de Engels en su libro *Origen de la familia, la propiedad privada y el estado* (1884), resultan ser simientes silenciadas por la figura mistificante de una mujer burguesa que se postula como "ángel del hogar". Es más, ignorando la obvia contradicción positivista que le atribuye las funciones de servir al hombre y ser simultáneamente idolatrada por él, la mujer empieza a cultivar cualidades que, en un nuevo campo semántico de lo angelical, hacen de ella un ángel si aparece frente a una cuna, un telar o los implementos para coser y bordar.[30]

Sus manos en una labor exclusivamente doméstica devienen, por lo tanto, en el reflejo de un corazón que, en su calidad de artificio ideológico del pensamiento positivista, adquiere las connotaciones de superioridad afectiva y sublime apoyo espiritual. Si Justo Sierra en México, hacia fines del siglo XIX, aconsejaba a las mujeres dedicarse a la noble tarea de crear almas y no leyes, el chileno Juan Enrique Lagarrigue santifica la función de la mujer definida por él como "ángel de la guarda", "diosa tutelar" y "Madre Suprema" aseverando: "La mujer es mucho más propensa que el hombre al altruismo, y no hay que contrariarle de ningún modo esa noble disposición, mas sí, por el contrario, fomentársela y garantírsela religiosamente. Del sexo amante debe fluir sin cesar la bendita inspiración que purifique y enaltezca las almas y cree el verdadero progreso de nuestra especie basado siempre en el orden".[31] Este concepto positivista con respecto a la mujer ha perdurado en las leyes civiles de Latinoamérica. Así, por ejemplo, en México, el código de matrimonio redactado por Benito Juárez en 1859 y aún vigente en la actualidad estipula:

El hombre, cuyas dotes sexuales son principalmente el valor y la fuerza, debe dar y dará a la mujer protección, alimento y dirección; tratándola siempre como la parte más delicada, sensible y fina de sí mismo y con la magnanimidad y benevolencia generosa que el fuerte debe al débil, esencialmente cuando este débil se entrega a él y cuando por la sociedad, se le ha confiado. La mujer, cuyas principales dotes son: la abnegación, la belleza, la compasión, la perspicacia y la ternura, debe dar y dará al marido obediencia, agrado, asistencia, consuelo y consejos tratándolo siempre con la veneración que se debe dar a la persona que nos apoya y defiende, y con la delicadeza de quien no quiere exasperar la parte brusca, irritable y dura de sí mismo.

Dentro de la dinámica de poder elaborada por el romanticismo y el positivismo, la mitificación hiperbólica del signo mujer como sinónimo de un sexo amante que tiene prolíferas representaciones en la literatura romántica debe considerarse como expresión de una estrategia de la compensación. Pues, a la dimensión exagerada del corazón, se opone la disminución, también exagerada, del cerebro. Como evidencia visible de esta nueva versión de la inferioridad intelectual de la mujer, vale la pena señalar que, en los primeros dibujos anatómicos del esqueleto femenino, la pelvis se delineaba con amplias dimensiones, el cráneo se dibujaba notablemente reducido y, en medio de las costillas, de manera significativa, se colocaba un corazón. A modo de anécdota se puede agregar que, después de cuidadosas mediciones y cálculos aritméticos, los científicos del siglo XIX llegaron a la conclusión de que existían válidas semejanzas entre el esqueleto de la mujer y el esqueleto de la avestruz.[32]

Dentro de este contexto ideológico que reitera la inferioridad intelectual de la mujer, no resulta extraño que los nuevos proyectos educacionales se diseñen a partir de un prejuicio sexista. Tal es el caso, en el continente latinoamericano, de las reformas realizadas por Domingo Faustino Sarmiento quien, en la creación de escuelas primarias y normales para niñas, se propone educar a la mujer para que sea una mejor madre y una eficiente dueña de casa. Por lo tanto, en los cursos incluidos, se dio énfasis al manejo científico de las tareas hogareñas (economía doméstica, planificación presupuestaria, higiene y crianza científica del niño) introduciendo la gimnasia para que fortaleciera un cuerpo que así daría hijos más sanos a la patria.[33]

El rol primario de la maternidad continúa, por lo tanto, siendo la celda que previene a la mujer de una verdadera participación en el devenir histórico aunque, en el siglo XIX, éste se postule bajo los principios igualitarios de la democracia y el justo acceso a la educación. Es más, un análisis de las fuertes polémicas con respecto a la educación de la mujer en las ciencias pone de manifiesto el mecanismo del desplazamiento moralizante, recurso patriarcal que en el pasado calificó de bruja a la mujer que practicaba la curación médica. Hacia 1872, el chileno Zorobabel Rodríguez en las columnas del diario conservador *El Independiente* se oponía al acceso de la mujer a la educación secundaria afirmando: "Los liceos de mujeres a cargo del Estado, no serán otra cosa que verdaderos burdeles costeados por los contribuyentes".[34] Y, en esta ecuación que equipara la formación académica de la mujer con una actividad prostibularia, el argumento ético básico se refiere a la pérdida de una santidad que, en el pensamiento positivista, va en contra de la función maternal y sublime que sirve de apoyo espiritual a las actividades masculinas y masculinizantes del progreso. Por esta razón, no llama la atención el hecho de que Juan Enrique Lagarrigue se oponga a la educación científica de la mujer aludiendo a los peligros que corre el sagrado corazón femenino: "Tanto los trabajos teóricos como los trabajos prácticos tienden inevitablemente á secar el corazón. De ellos ha de estar pues libre el sexo femenino, para que sea fuente santificante en que sacerdotes, patricios y proletarios se repongan de sus labores públicas".[35]

La voz disidente del pensador puertorriqueño Eugenio María de Hostos, quien abogaba por la educación de la mujer, merece ser citada, pues él es el primer positivista latinoamericano que denuncia la falacia mistificante del corazón en el pedestal comtiano. En su discurso pronunciado en Santiago de Chile en 1872, Hostos declara:

Educada exclusivamente como está por el corazón y para él, aislada sistemáticamente como vive en la esfera de la idealidad enfermiza, la mujer es una planta que vegeta, no una conciencia que conoce su existencia, es una mimosa sensitiva que lastima el contacto de los hechos, que las brutalidades de la realidad marchitan: no una entidad de razón y de conciencia que amparada por ellas en su vida, lucha para desarrollarlas, las desarrolla para vivirlas, las vive libremente, las realiza. Vegetación, no vida; desarrollo fatal, no desarrollo libre; instinto, no razón; haz de nervios irritables, no haz de facultades dirigibles; sístole-diástole fatal que dilata o contrae su existencia, no desenvolvimiento voluntario de vida.[36]

Aparte de denunciar los cercos impuestos a la existencia de la mujer por una ideología que reafirma su rol primario de madre a través de la metáfora del corazón, Hostos pone de manifiesto la secuela cultural de un modelo femenino construido imaginariamente en la figura de la heroína romántica. Hacia fines del siglo XIX, la forjadora de almas en el espacio burgués de la casa cultivaba con afán su propia fragilidad con severas dietas, polvos de arroz que empalidecían su tez, sombrillas que la protegían del sol y apretados corsets que afectaban su respiración. Ofelia, Julieta y Mimí eran los modelos de una femineidad enfermiza que Sarah Bernhardt llevaría a un extremo durmiendo todas las noches en un lujoso ataúd. Y, como contraparte de la nueva versión mariana del "ángel del hogar", la imagen misógina de Eva asumió la forma de un cuerpo erotizado que se construyó imaginariamente a partir del signo de la flor venenosa simbolizada por Circe, Judith, Salomé y las hijas de Drácula.[37]

Pero, además de las construcciones imaginarias que reafirmaron esta nueva versión del signo mujer en el arte, es interesante observar que el desarrollo de la ciencia, en el siglo XIX, se transforma, para la ideología liberal, en un vehículo legitimador de la inferioridad de la mujer. Si el discurso científico proponía el triunfo del más fuerte como argumento naturalizador de la industrialización y el imperialismo colonialista, la comprobación científica de la superioridad del hombre garantizaba, de manera objetiva, el derecho a perpetuar la subordinación del sexo femenino. Por lo tanto, no es de extrañar que Charles Darwin en *The Descent of Man* (1871) afirme que la mujer se asemeja a las razas inferiores por poseer un mayor poder de intuición, una percepción más rápida y una habilidad para la imitación. Es más, según Darwin, la formación de su cráneo sólo alcanza la etapa intermedia entre el cerebro de un niño y el cerebro de un hombre, dato científico que Spencer amplía en su *Estudio de Sociología* (1873), agregando que, por este factor fundamental, la mujer no posee el poder abstracto de la razón.

La mujer, como objeto de prolíferos estudios científicos, marca, por consiguiente, un hito importante en la evolución falogocéntrica de los significados y significantes atribuidos a ella. El hecho de que su cerebro pese menos será una de las pruebas fehacientes de su inferioridad y el tabú de la menstruación se convertirá en el argumento científico y causal de su debilidad física e intelectual. Así, Augusto Strindberg, haciendo eco de las teorías científicas de la época, aseverará en "La Revue Blanche" (1895) que la menstruación y la pérdida periódica de fluido nutritivo terminan atrofiando el cerebro de la mujer. Más interesante y revelador resulta aún el fenómeno cultural de una producción científica acerca de la mujer que insiste en sus dimensiones enfermizas y morbosas.

En una de las laderas del quehacer científico, se pretende establecer las diferencias entre ambos sexos en estudios tales como *Man and Woman, A Study of Secondary and Tertiary Sexual Characters* (1894) de Havelock Ellis, "Mental Differences between Man and Woman" (1887) de C.J. Romanes y *Over de Aequivalentie van Man en Vrouw* (1895) de

Catharina van Tussenbroek. Pero, por otra parte y de manera más espectacular, se analizan las dimensiones pecaminosas de la mujer con el mismo ahínco que habían puesto los teólogos en la figura de Eva. Así, los científicos estudian los efectos perversos de la masturbación femenina que, según ellos, produce laxitud del cuerpo, profundas ojeras y mirada extraviada; Cesare Lombroso publica su estudio titulado *La Donna Deliquente, la Prostitutà e la Donna Normale* (1894) y Richard von Kraft-Ebing en su *Psychopathia sexualis* (1886) demuestra las causas científicas de la inclinación de la mujer al pecado en lo que él denomina la subyugación femenina a lo fisiológico sexual.

La supremacía endeble del Falo

En este nuevo contexto científico que define a la mujer como un ente enfermizo y biológicamente inferior al hombre se inserta la teoría de Sigmund Freud. La histeria y el complejo de castración sustituyen al himen y al corazón por un útero que provoca paroxismos emocionales y un clítoris definido como falo atrofiado. La causa de estos desplazamientos se da en el interés revolucionario de Freud por investigar los fundamentos de lo síquico en el núcleo de pulsiones eróticas originadas por lo instintivo genital.

En 1922, Sigmund Freud escribe un breve texto que titula "La cabeza de Medusa" y que sólo fue publicado póstumamente en 1940. En dicho texto, intenta hacer una interpretación sicoanalítica del mito griego, postulando que la cabeza decapitada de Medusa es un símbolo de la castración que produce el mismo terror que siente un niño al ver, por primera vez, los órganos genitales femeninos. Esta sensación de terror no sólo es mitigada por la cabellera, la cual asume la forma de serpientes que reemplazan al pene, sino que también produce, en el espectador, una rigidez que Freud equipara con la erección fálica. Y, desde su perspectiva, es precisamente el órgano masculino erecto el que posee un poder de conjuración contra la fuerzas malignas. Razón por la cual afirma: "Mostrar el pene (o cualquier otro de sus sustitutos) es decir: 'No te temo. Te desafío. Yo tengo un pene' Aquí entonces tenemos otro modo de intimidar al Espíritu del Mal".[38]

Si, partiendo de sus propias premisas, intentáramos interpretar su texto como síntoma y símbolo de algo oculto, tendríamos que postular que, en su lectura del mito griego, prevalece su fe en el poder exorcizante del falo visible frente a lo ausente concebido como castrado y decapitado, fe que es también una creencia en la superioridad de lo anatómico masculino que, en su teoría, funciona como la norma.

Indudablemente, Sigmund Freud se mueve en el terreno resbaladizo de contradicciones fundamentales originadas por su intento cientificista de utilizar los parámetros objetivos de la biología. En este sentido, su siguiente declaración resulta esclarecedora para comprender los escollos que él enfrenta en la transición de lo visible y científicamente comprobable a lo sicológico, que sólo se manifiesta en un conjunto de síntomas más o menos herméticos para la naciente siquiatría. Freud afirma: "El sicoanálisis posee una base común con la biología puesto que presupone una bisexualidad original tanto en los seres humanos como en los animales. Pero, el sicoanálisis no puede elucidar la naturaleza intrínseca de aquello que en la fraseología convencional o la fraseología biológica se denomina "masculino" y "femenino"; solamente adopta los dos conceptos como plataforma de su trabajo".[39] Es más, al investigar las consecuencias síquicas de las diferencias sexuales y anatómicas, Freud asevera que la masculinidad y la femineidad puras "no pasan de ser construcciones teóricas de contenido incierto".[40] La contradicción entre ciencia dilucidadora y lo incierto constituye en sí un enigma cuyo antecedente histórico se encuentra en la palabra "histeria". Cuando en 1602, se siguió un juicio a Mary Glover en Inglaterra, el médico, oponiéndose a causas sobrenaturales definidas como posesión del demonio, dictaminó que su estado se debía a una causa natural, a la histeria que, según su definición, era una enfermedad del útero. No obstante el juez la condenó por brujería; éste es uno de los primeros acontecimientos de occidente donde se trata de comprender un fenómeno a partir de los conceptos de la ciencia moderna. Y, en nuestra opinión, resulta significativo que Freud elija el vocablo histeria para definir de modo científico lo incierto.

No obstante sus reservas con respecto a la categorización genérico-sexual tajante y definitiva, es interesante observar que es precisamente su insistencia en la base anatómica diferenciadora de ambos sexos la que lo conduce a derivar, de manera errónea, una caracterología que, lejos de originarse en lo biológico, corresponde a condicionamientos de tipo social y cultural. Condicionamientos históricos que, sin duda, tiñen también la propia producción de la teoría freudiana originada en un escenario en cuyas bambalinas se mueve la sombra amenazante del feminismo. Así, en uno de sus ensayos sobre el complejo de Edipo, Freud asevera: "La exigencia feminista de iguales derechos para ambos sexos aquí pierde sentido; la diferencia morfológica se expresa en diferencias en el desarrollo de la mente. 'La anatomía es destino' se puede afirmar modificando la frase de Napoleón".[41]

Pero, aparte de esta contradicción fundamental que desplaza erradamente lo social a lo biológico, el soporte anatómico mismo que utiliza Freud revela no solamente un desconocimiento de la complejidad anatómica femenina sino que también pone de manifiesto una ideología freudiana sustentada en el falogocentrismo. El órgano masculino, como norma en la teoría de Freud, lo conduce a definir la femineidad en términos de la carencia de un pene, partiendo así de un elemento ausente para definir una Totalidad que explicaría a la mujer como individuo sicológico. Ella sería, entonces, resultado de lo que no es, una víctima de la castración que llevará, durante toda su existencia, la cruz de la mutilación fálica, definida por Freud como "herida narcisística" y "cicatriz".[42] Por consiguiente, el descubrimiento, por parte de la niña, de su castración deviene en una experiencia que determinará el cauce de toda su existencia. La descripción de dicha experiencia en el discurso freudiano pone en evidencia una primacía hiperbólica de lo fálico visible que Freud patriarcalmente mistifica al decir: "En efecto, advierte el pene de un hermano o de un compañero de juegos, llamativamente visible y de grandes proporciones; lo reconoce al punto como símil superior de su propio órgano pequeño e inconspicuo, y desde ese momento cae víctima de la envidia fálica".[43]

Para Freud, lo decisivo de esta experiencia no está solamente en el hecho de ver el pene y saber que no lo tiene, sino también en un deseo que nunca se realiza ("Lo ha visto, sabe que no lo tiene y quiere tenerlo").[44] Junto con asumir su condición de ser mutilado, la niña rechaza a su madre, al darse cuenta de que ella tampoco posee un falo, y se inclina a su padre como objeto de amor del cual espera el órgano deseado que posteriormente, siguiendo un camino que Freud define como preestablecido, se transformará en ella en el deseo por un hijo. Y, a través de esta ecuación que ubica al hijo como sustituto del pene, Freud desplaza el fenómeno biológico de la maternidad al espacio de lo sicológico y traumático definiéndolo como la sublimación de una carencia. De este modo, el órgano genital exterior y masculino devalúa, en la teoría freudiana, al útero y matriz femenina, devaluación que también se da al clítoris como pene defectuoso y a la vagina, definida por Freud, como albergue del pene. En el párrafo final de su ensayo titulado "Organización genital de la líbido", Freud pone de manifiesto su concepción asimétrica de ambos sexos al aseverar: "La antítesis continúa: un órgano masculino genital o una condición de castración. No será hasta que se complete el desarrollo en la etapa de la pubertad que la polaridad de la sexualidad coincide con macho y hembra. En su manifestación masculina es sujeto concentrado, actividad y posesión de un pene mientras su contraparte femenina es objeto y pasividad. La vagina desde ese momento será valorada como albergue del pene, como heredera directa del útero maternal".[45]

Ignorando toda posibilidad de que la vagina pueda

ser sitio y fuente de placer para la sexualidad femenina, Freud, en esta aserción, ofrece una visión masculina y masculinizante del órgano genital femenino, postulado como espacio cerrado que provee el mismo tipo de albergue transitorio que representó el útero de la madre. Es más, la posesión de un pene equivale, en su teoría, al privilegio de convertirse en un Sujeto activo, en un individuo capaz de modificar su entorno mientras la mujer, en su posición de objeto, está condenada a la pasividad y a una impotencia que origina envidias y frustraciones. Ella es, así, el signo viviente de la cabeza decapitada de Medusa, despojo sangrante que, sin embargo, resulta de gran utilidad para reafirmar el poder del falo y sus estructuras patriarcales.

Aparte de constituir la norma y la ley, en el pensamiento de Freud, el órgano fálico es también el único origen posible de la actividad libidinal en sus etapas primarias, razón por la cual afirma, en "La organización genital de la líbido", por ejemplo, que durante la niñez, sólo el miembro genital masculino es importante, aclarando que no se trata de la primacía de lo genital sino de la primacía del falo.[46] Superioridad anatómica esencial de lo masculino que lo conduce a discernir una diferencia básica en la evolución del complejo de Edipo que, en el varón, se aniquila por el complejo de castración mientras, en la mujer, es posibilitado e iniciado por este complejo de la castración que inhibe y restringe la masculinidad para estimular la femineidad. La posesión de un falo causa, por lo tanto, "la diferencia entre una castración realizada y una mera amenaza de castración".[47] Y es la represión de esta amenaza la que origina, en el hombre, la formación de un Super-Yo que, en su valor ético y normativo, lo induce a dominar los instintos y a participar en los proyectos de la civilización. Por el contrario, el factor de que la castración sea un hecho consumado, en el caso de la mujer, aniquila toda posibilidad de sublimación en el arte, el trabajo o la cultura. De este modo, Freud, desplaza lo esencialmente anatómico a lo moral puesto que atribuye a la posesión del falo todo un sistema de valores positivos que configuran el Super-Yo. Al respecto afirma:

Aunque vacilo en expresarla, se me impone la noción de que el nivel de lo ético normal es distinto en la mujer que en el hombre. El *super-yo* nunca llega a ser en ella tan inexorable, tan impersonal, tan independiente de sus orígenes afectivos como exigimos que lo sea en el hombre. Ciertos rasgos caracterológicos que los críticos de todos los tiempos han echado en cara a la mujer—que tiene menor sentido de la justicia que el hombre, que es más reacia a someterse a las grandes necesidades de la vida, que es más propensa a dejarse guiar en sus juicios por los sentimientos de afecto y hostilidad—, todos ellos podrían ser fácilmente explicados por la distinta formación del *super-yo* que acabamos de inferir.[48]

En su polémica conferencia sobre la femineidad dictada en 1933, Sigmund Freud amplía acerca de las consecuencias de la castración consumada, en el caso de la mujer, estableciendo que existen para ella tres líneas de posible desarrollo: una que lleva a la inhibición sexual o la neurosis, otra que produce un complejo de masculinidad y una última que conduce a la femineidad normal marcada por el narcisismo y la vanidad que compensan su inferioridad sexual y por el pudor que tiene como propósito el ocultamiento de su deficiencia genital.

Desde una perspectiva contemporánea, la teoría de Freud, no deja de constituir un válido intento de racionalización acerca de la subordinación social de la mujer, especialmente si se comprende el falo anatómico en un sentido no literal sino simbólico, como lo hará posteriormente Jacques Lacan. La validez del discurso freudiano acerca de la condición femenina no está en la explicitez literal que acabamos de analizar sino en las contradicciones y desplazamientos que ponen de manifiesto los mecanismos del falogocentrismo. Su validez está también en los dobleces de una concepción de la mujer que le permite vislumbrar las profundas complejidades de su situación social y existencial. Así, por ejemplo, pese a la utilización de una base determinista anatómica, Freud es capaz de detectar los orígenes de la subordinación femenina en el rol primario de la reproducción biológica que ha marginado a la mujer del devenir histórico y toda creación en el quehacer cultural. Concepto que se hace evidente en la siguiente afirmación hecha en su texto titulado *El malestar de la cultura*:

Además, las mujeres, las mismas que por los reclamos de su amor habían establecido inicialmente el fundamento de la cultura, pronto entran en oposición con ella y despliegan su influjo de retardo y reserva. Ellas subrogan los intereses de la familia y de la vida sexual; el trabajo de cultura se ha ido convirtiendo cada vez más en asunto de varones, a quienes plantea tareas de creciente dificultad, constriñéndolos a sublimaciones pulsionales a cuya altura las mujeres no han llegado. Puesto que el ser humano no dispone de cantidades ilimitadas de energía psíquica, tiene que dar trámite a sus tareas mediante una adecuada distribución de la líbido. Lo que usa para fines culturales lo sustrae en buena parte de las mujeres y de la vida sexual: la permanente convivencia con varones, su dependencia de los vínculos con ellos, llega a enajenarlo de sus tareas de esposo y padre. De tal suerte, la mujer se ve empujada a un segundo plano por las exigencias de la cultura y entra en una relación de hostilidad con ella.[49]

No obstante ésta ha sido una de las aseveraciones freudianas que mayores ataques ha recibido por parte de las pensadoras feministas,[50] una interpretación, dentro de su propio contexto histórico y cultural, pone de manifiesto, a primera vista, el hecho de que, en el pensamiento de Freud, el modelo positivista del "ángel del hogar", lejos de ser una mujer realizada en su noble misión maternal, es, en efecto, un ángel relegado y hostil. Es más, en su interpretación de la cultura como represión del principio de placer y como estado esencial de infelicidad, Freud otorga a la marginación de la mujer un papel de factor básico. Si, en los albores de la civilización, ella constituyó el fundamento de amor para la creación de la cultura, parodójicamente, su estancamiento en el rol biológico maternal ha originado en ella un resentimiento que ha convertido las relaciones entre ambos sexos en un campo de enajenaciones y hostilidades.

Por otra parte, el discurso freudiano se sustenta en un entramado que deja ver las tuercas de un engranaje aparentemente nítido e invulnerable. Si en los discursos prescriptivos de Vives y Fray Luis de León, la represión normativa de la sexualidad femenina se expresaba a través de la figura del himen cerrado, en la teoría de Freud, en gran parte fundada en los impulsos libidinales, se le otorga existencia a la sexualidad femenina bajo un salvoconducto exclusivamente falocéntrico: el placer vaginal. En los pliegues de su ideología, claramente se puede detectar la anulación del placer clitoridal como signo de un mecanismo de poder que aniquila aquellas alternativas o modos posibles de placer que escapan al conocimiento y saber de un Sujeto masculino.[51] En otras palabras, las fronteras que Sigmund Freud impone al terreno múltiple y heterogéneo de la sexualidad femenina corresponden a una estrategia de territorialización que aspira a dominar y restringir lo desconocido, como amenaza para el poder y el saber falocéntrico.

Ampliando la hipótesis de G. Deleuze y F. Guattari quienes en *Anti-Edipo* (1972), interpretan el complejo de Edipo como una estrategia de codificación de la líbido con un objetivo hermenéutico, podríamos aseverar que el falo, en la teoría freudiana, no sólo se utiliza como signo supremo de poder sino también como recurso hermenéutico para descifrar los enigmas de la femineidad. En efecto, en el discurso freudiano, subyace una concepción de la femineidad como misterio, como continente oscuro; el cual crea serias fisuras en el núcleo de ese discurso que aspira a la objetividad científicamente comprobable. Contradicción que Ernest Jones pone en evidencia al hacer el siguiente comentario: "No cabe duda que Freud encontró la psicología de la mujer más enigmática que la del hombre. Una vez le dijo a María Bonaparte: 'La pregunta fundamental, que nunca ha tenido respuesta y que yo mismo no puedo contestar aún a pesar de mis treinta años de investigación sobre el alma femenina, es ésta: *¿Qué es lo que quiere la mujer?*'"[52]

Dentro de este contexto ideológico que fluctúa entre lo científico categórico y lo difuso enigmático, las palabras finales de Freud en su conferencia sobre la femineidad resultan ser un testimonio y una capitulación. Luego de reconocer las limitaciones de su interpretación exclusivamente basada en lo sexual, le aconseja a su público que si desea saber más acerca de la femineidad, debe investigar en sus propias experiencias, escuchar a los poetas o esperar que la ciencia produzca una información más completa y coherente. Sin duda que esta heterogeneidad de lo empírico, lo poético y lo científico implica, en el pensamiento de Freud, la devaluación implícita del paradigma fálico, sus propias vacilaciones con respecto al falo como recurso para definir y poseer a la mujer por medio de una condición imaginada como la mutilación absoluta.

Será precisamente una de sus discípulas, Karen Horney, quien pondrá en evidencia que la teoría de Freud responde a un modelo cultural de occidente en el cual sistemáticamente se devalúa e inferioriza a la mujer. En una serie de artículos escritos entre 1922 y 1933, Horney, utilizando las mismas fichas de la teoría sicoanalítica, invierte el diseño para demostrar que la envidia del pene es sólo lo que el hombre supone que debe sentir una mujer, en un proceso de transferencia de su propio temor a ser castrado. Para ella, la glorificación narcisista del pene es, en el hombre, el terror a la impotencia sexual; por otra parte, la envidia constituye una proyección de su propio sentimiento con respecto a la mujer y su capacidad para dar a luz. El valor fundamental de sus planteamientos radica en la relativización de la teoría de los instintos postulada por Freud, al dar énfasis a los factores culturales y las relaciones sociales que regulan lo supuestamente intrínseco y anatómico. Desde una perspectiva similar, Alfred Adler inserta el factor de la lucha por el poder y Ernest Jones postula que la perspectiva falocéntrica de los sicoanalistas ha devaluado la importancia de los órganos sexuales femeninos.

Tentativas de integración de "lo masculino" y "lo femenino"

La teoría de Carl G. Jung debe comprenderse dentro de este contexto de reevaluación de "lo femenino" en la teoría freudiana. Centrándose en la esfera representativa de lo simbólico, Jung amplía el ámbito de lo subconsciente individual para establecer que, a nivel de lo pre-verbal, existe un conjunto de pre-ideas o arquetipos que son semejantes en todas las culturas y constituyen el inconsciente colectivo. Para él, la siquis está estructurada en polaridades que producen la integridad a través de su expresión total y, simbólicamente, la polaridad entre la conciencia y lo inconsciente se expresa en términos de una polaridad sexual. Por lo tanto, en cada siquis humana se da lo femenino y lo masculino como dos modalides de Ser que poseen una expresión explícita dominante y otra inferior latente.

Desde una perspectiva contemporánea, la teoría de Jung podría extenderse a una interrelación fluida de lo genérico en dos modalidades que conducen a una integración recíproca, anulando así a la otredad. Sin embargo, la tajante oposición entre Eros y Logos, entre lo femenino y lo masculino, continúa encarcelada en las oposiciones binarias del falogocentrismo. En efecto, el hecho mismo de que conciba el ánima en el hombre y el ánimus en la mujer como elementos contra-sexuales, pone de manifiesto un paradigma fundamentado en la oposición. Su elaborado esquema en el cual define los aspectos de esta polaridad, constituye en sí una reafirmación de las construcciones culturales dominantes con respecto a lo femenino y lo masculino.

Según Jung, en el ánima predominan el impulso instintivo, las emociones, la sensibilidad, la ternura, los celos y la creatividad. A nivel de representación simbólica, corresponde a las figuras de la diosa, la bruja, la mártir y la musa. El ánima, como sinónimo de la tierra, el amor y la sabiduría tiene su equivalente metafórico en la vaca, la paloma, la lechuza y el gato y es, por excelencia, de carácter pasivo, razón por la cual le corresponden los sustantivos y los verbos intransitivos. Por el contrario, el ánimus funciona a partir de la actividad, la racionalidad y las aspiraciones de poder. Suyos son los verbos activos y la capacidad de dominar, iniciar, crear, articular y expresar significados. Sus imágenes arquetípicas corresponden al padre, el príncipe azul, el juez, el profeta, el mago, el héroe, el rey, el sabio y los animales que lo representan son el toro, el chivo, el perro y el águila. Es interesante observar que Carl G. Jung menciona la sentimentalidad, la hipersensibilidad, la autocompasión y la tendencia a lo mórbido como los posibles problemas del ánima mientras, en el caso del ánimus, dichos problemas serían el impulso hacia el poder, el egoísmo y el deseo de prestigio.

Demás está señalar que los posibles excesos del ánimus corresponden a lo que, en nuestra cultura, se valora en una axiología centrada en el éxito individual mientras que los problemas del ánima se asocian con la carencia de racionalidad y lo enfermo. No obstante Jung asevera que la masculinidad en la mujer y la femineidad en el hombre son proporcionalmente inferiores en la constitución del ego, es evidente que, en su teoría, el ánima resulta ser una sombra más devaluada y contaminada. Como afirma Annis V. Pratt, en la teoría junguiana, las elaboraciones de lo femenino han sido creadas a partir de modelos masculinos que eclipsan y anulan la posibilidad de arquetipos derivados de la experiencia misma de la mujer y su posibilidad de crear símbolos en un proceso de auto-expresión.[53]

Si bien el trabajo de Jung resulta valiosísimo como una investigación sistemática del repertorio simbólico de occidente y otras culturas, su teorización acerca de "lo femenino" y "lo masculino" planteada por él como categorías del Ser, ontologiza aspectos que no son sino construcciones culturales sujetas a un devenir histórico

La simplificación de su teoría, en el caso de Ernesto Sábato, pone en evidencia un entramado que, pese a insertar una brecha en los rígidos compartimentos asignados a hombre y mujer, prolonga la estrategia patriarcal de borrar lo histórico para subsumirlo en un nivel abstracto. En *Heterodoxia* (1953), Sábato, adoptando la hipótesis de Carl G. Jung, afirma que existe una "profunda amalgama de atributos femeninos y masculinos que coexisten en cada uno de nosotros",[54] pero lo que a él le interesa no es el fenómeno de la fusión en sí, sino, más bien, los ingredientes de dicha amalgama, los caracteres del hombre y la mujer arquetípicos. Recurriendo a la diferencia, en un sentido estrictamente positivista, Sábato intenta reforzar una caracterología que bordea en lo estereotípico para oponerse a un feminismo latinoamericano que, durante la década de los cuarenta y los cincuenta, postulaba la igualdad de los sexos con respecto al derecho a voto. Desde su perspectiva reaccionaria, las conquistas feministas han masculinizado a la mujer produciendo así un desequilibrio en la vida erótica, una crisis que va contra condiciones biológicas que se deben mantener inmutables.

Llama la atención, sin embargo, que en el estrecho esquema de Sábato, lo biológico se reduzca exclusivamente a los órganos sexuales los cuales, en sus planteamientos, resultan ser la directriz fundamental tanto de lo ontológico como de la praxis cultural. Por lo tanto afirma:

En el hombre el sexo es un apéndice, no sólo desde el punto de vista anatómico sino también fisiológica y psicológicamente: está hacia afuera, hacia el mundo, es centrífugo. En la mujer está hacia dentro, hacia el seno mismo de la especie, hacia el misterio primordial. En el hombre el semen sale, es proyectado hacia fuera, como su pensamiento hacia el Universo; en la mujer, entra. Esa proyección masculina implica separación, escisión, desvinculación del hombre respecto a su simiente. En la mujer, al contrario, implica unión, fusión. Como consecuencia de su caracterología sexual, centrífuga, el hombre tiende a crear *otra* realidad, que se añade a la natural: la realidad cultural, con su técnica y sus ideas, con su ciencia y su filosofía, con su arte y su literatura. En tanto que la mujer tenderá a reunificar la realidad escindida por el macho, volviendo lo cultural al seno materno, es decir, al seno de la naturaleza primordial y eterna . . . (pp. 52-53)

De este modo, Sábato reitera su tesis ya expuesta en *Hombres y engranajes* (1951), ensayo en el cual postula que la civilización moderna se desarrolló impulsada por la razón y el dinero, dos fuerzas que, por estar dirigidas al mundo exterior, él califica de masculinas. Las resonancias muy simplificadas de la teoría de Freud son evidentes y no merecen mayor comentario. Sin embargo, dadas las condiciones de recepción que tuvieron estos ensayos elaborados por el escritor argentino, éstos constituyen en sí un documento de la ideología prevalente con respecto al hombre y la mujer entre los intelectuales latinoamericanos. Publicados en una época anterior a la industrialización del libro en Latinoamérica, *Hombres y engranajes* y *Heterodoxia* resultan, para la década de los cincuenta, un verdadero éxito editorial que sobrepasó los diez mil ejemplares. En el caso específico de *Heterodoxia*, la primera edición fue de cuatro mil ejemplares con una segunda y tercera edición de siete mil ejemplares cada una. Dentro de este contexto, no resulta extraño, por lo tanto, que Julio Cortázar, basándose en la dicotomía patriarcal del principio pasivo versus el principio activo, haya teorizado acerca de la lectura recurriendo a los paradigmas de "el lector macho" y "el lector hembra".

"No Veo la (Mujer) Oculta en el Bosque"
[fotomontaje de René Magritte]

Una vertiente muchísimo más interesante de la teoría de Jung con respecto a la integración de lo masculino y lo femenino se da en la vanguardia, especialmente en el Surrealismo durante las décadas de los veinte y los treinta. En su Segundo Manifiesto publicado en 1929, André Breton hace la siguiente declaración que se ha convertido en una caracterización ya clásica de todo el movimiento: "Todo induce a creer que en el espíritu humano existe un cierto punto desde el que la vida y la muerte, lo real y lo imaginario, el pasado y el futuro, lo comunicable y lo incomunicable, lo alto y lo bajo, dejan de ser vistos como contradicciones".[55] La puesta en entredicho de los paradigmas ya canonizados de la modernidad implicó el intento de anular oposiciones binarias planteadas como totalidades excluyentes, posición teórica que Carl G. Jung evidentemente compartía al elaborar acerca de la coexistencia del ánimus y el ánima. Para Breton, los procesos de fusión y ambigüedad en la simultaneidad de lo consciente y lo inconsciente constituyen la base de su movimiento artístico dirigido a una revolución contra los valores de la burguesía. Intentos compartidos por toda la vanguardia en una actitud de visible irreverencia. En este terreno subversivo, lógicamente, todo lo femenino constituye una fuente de transgresión. Así, en *Arcano 17* (1944), el autor francés declara que en el arte se debe hacer predominar, al máximo, el sistema femenino del mundo para subordinar y rechazar los valores del sistema masculino, asevera: "Es el artista quien debe confiar exclusivamente en los poderes de la mujer para exaltar y, mejor dicho, celosamente apropiarse de todo aquello que distingue a la mujer del hombre".[56]

Esta cita resulta clave para comprender las contradicciones de un proceso de valoración de la mujer en el cual prevalecen las falacias y preconcepciones patriarcales de la imaginación masculina. Apropiarse de lo femenino, en el discurso de Breton y la vanguardia en general, significó crear un bosque a nivel imaginario, adueñarse de todo aquello concebido como "femenino" sin tomar en cuenta a la mujer real. En este sentido, Gradiva resulta ser la metáfora más explícita de este proceso. En 1903, Wilhelm Jensen publicó su novela titulada *Gradiva: Una fantasía de Pom-*

peya, narración en la cual un arqueólogo se enamora perdidamente de la figura de una mujer esculpida en un relieve. Interesado en los mecanismos de la fantasía, Freud, en 1907, publicó su estudio de esta novela en la cual analiza el mito del amor y los fenómenos del deseo y la represión. Partiendo de los comentarios de Freud y no del texto de Jensen, los surrealistas se apropiaron de Gradiva para hacer de ella la musa que guía al poeta, la mujer donde se funden lo soñado y lo corpóreo, la realidad y la fantasía, la sensatez y la locura, la vida y la muerte.

Gradiva es, por lo tanto, una figura que ha pasado por varios reciclajes de la imaginación: materia esculpida en el relieve, personaje de relato novelesco, objeto del sicoanálisis, musa surrealista. Razón por la cual no sería desacertado afirmar que también es un símbolo de la mujer entre paréntesis que se oculta en el bosque, como indica el título del fotomontaje de Magritte, en el cual una mujer desnuda y en grácil e inofensiva pose de estatua está de pie en el centro y enmarcada por las fotos de los artistas surrealistas que mantienen sus ojos cerrados. Los testimonios de las mujeres que participaron en el Surrealismo ponen en clara evidencia esta dicotomía tajante entre la imagen venerada de la mujer imaginada y la posición ideológica e histórica de los surrealistas que tuvieron siempre la tendencia a marginalizarlas y discriminar en contra de ellas.[57]

No obstante la visión de la mujer en el Surrealismo arranca del Romanticismo y el Simbolismo del siglo XIX, nos interesa destacar aquellos rasgos que producen una reterritorialización del signo mujer en este movimiento en el cual se asignan valores diferentes a lo perverso, lo erótico y lo patológico. Dentro de la nueva perspectiva del Surrealismo y la vanguardia en general, la valoración de lo pueril y lo primitivo se entrenza también a la creación de un contratexto en el cual aquello considerado como mórbido por la opinión decimonónica, se convierte en un fundamento de la creación artística. Así, Breton y Aragon en 1928 declaran: "La histeria no es un fenómeno patológico y puede considerarse en todos sus aspectos como un supremo medio de expresión". Dentro de este nuevo fermento, Nadja, en su estado ambiguo que la ubica entre la videncia, la locura y la inconsciencia es un personaje positivo, como lo será toda mujer imaginada que sirva de mediadora para los estados de éxtasis erótico e irracional ("l'amour fou") o que cumpla el rol de fuente de transgresión contra el orden burgués.

Sin embargo, bajo esta gesticulación revolucionaria, perdura la polarización patriarcal que, desde el Génesis de la Biblia, ha escindido al signo mujer entre el Mal y el Bien, la conciencia y la inconsciencia. Es sí importante notar que el signo ahora se borda con otros hilos que ubican al Deseo en la noción de lo prohibido que necesita ser subvertido y que postulan lo erótico como aquella experiencia que une a todo lo cósmico. De allí, que proliferen las imágenes de mujeres rodeadas por la vegetación y que sus órganos sexuales se representen como inocentes y exuberantes flores que también tienen la posibilidad de convertirse en figuras de senos alargados como lanzas ("femme phallique" de Salvador Dalí) o de vagina incrustada de ganchos filosos ("La Femme Affamée" de Roberto Matta).

Desde otra perspectiva, se podría aseverar que el imaginario surrealista está marcado por una impronta en la cual el artista como Sujeto manipula la figura de un Otro que está despojado de toda voluntad y toda conciencia. Así, la imagen de la hechicera, basada en el estudio de Jules Michelet sobre las brujas de la Edad Media, es reelaborada para hacer de ella una mujer, no en control de poderes mágicos sino, más bien, poseída por ellos; mientras la mujer como imagen de lo oculto, no es la creadora del conocimiento hermético sino sólo su depositaria. Para esta ideología en la cual la mujer es únicamente inspiración o mediación para el principio masculino activo representado por el artista y su creación, los rasgos infantiles de la Mujer-Niña equivalen a la ingenuidad y la inocencia, como estados que poseen una conexión más directa con el inconsciente, de allí que ella sea la ilustración pictórica de la escritura automática. Melusina, figura mitológica de un ser que es mitad mujer y mitad hada, aún inserta en la región de lo pueril, representa para Breton la absoluta transparencia de la visión, la musa de cabellos dorados en la cual perdura para siempre la conjunción Mujer-Niña. Desde una posición contemporánea, este proceso de puerilización equivale, sin lugar a dudas, a un despojo de toda posibilidad de una entidad autónoma para la mujer y resulta esclarecedor el hecho de que, mientras los artistas del movimiento manejaban la figura de la Musa para iniciar y complementar su creación de tipo masculino, las mujeres de dicho movimiento, rechazando esta construcción de la Musa como un Otro, se buscaban a sí mismas y su propia realidad en el autorretrato, en el parto (Frida Khalo), en la magia de la cocina y el ámbito doméstico (Leonora Carrington, Remedios Varo).

Lo que André Breton denomina una apropiación de lo femenino en la cita anteriormente comentada, resulta en sí una falacia. El fenómeno de la apropiación implica un acercamiento y un proceso de conocimiento de lo Otro que, en el caso del Surrealismo y la vanguardia en general, no se dio, puesto que la categoría de lo femenino utilizada por los artistas no corresponde al terreno mismo de la mujer en los cauces de su propia historia o la visión de sí misma en el arte. Por el contrario, las imágenes de la mujer y lo femenino se insertan en la vasta intertextualidad de signos enraizados en la tradición de la imaginación masculina. Por lo tanto, en los intentos de incorporar lo femenino y lo masculino, perduró la supremacía y autoridad de la perspectiva masculina. Es más, la conciencia de que existía una oposición binaria entre lo masculino dominante y lo femenino subordinado, de ninguna manera invirtió los términos. La apropiación devino, más bien, en un proceso que asignó a la mujer el valor de todo lo opuesto a la axiología burguesa para hacer de ella la plataforma imaginaria que sirvió para escandalizar, revolucionar y contradecir, tanto la moral burguesa como los formatos artísticos tradicionales.

No obstante las prolíferas imágenes de la mujer oscilando en los polos extremos de la niña pura y la mujer como objeto sexual, se da un vacío fundamental que se multiplica en la naciente industria cinematográfica. Tras estas imágenes subyace, sin embargo, una búsqueda de tipo metafísico que hace de la mujer una vertiente del ser, un signo de trascendencia hacia los orígenes y los secretos de la naturaleza. Ella guía hacia el reencuentro con la inocencia perdida y las zonas reprimidas del inconsciente. A este nivel filosófico, la mujer es el recurso y la llave del amor y la poesía que revelan al hombre aquel espacio donde los opuestos se fusionan, reintegrándose así a todo lo cósmico. Por consiguiente, el signo mujer es ubicado por los surrealistas en el terreno de una proyección idealizada de un Sujeto en el proceso de la creación artística. Y, no obstante, reconocen su posición subordinada en la sociedad, la prioridad de la abstracción y la imaginación difuminan toda posible problematización histórica del concepto mismo de alteridad.

El umbral del Otro

"Un cuarto de luna no carece en realidad de nada: es lo que es. Carece de algo para una conciencia que espera o que pretende su completación".

Jean-Paul Sartre. El ser y la nada

Para la perspectiva existencialista de post-guerra, las transgresiones de la estética surrealista y su énfasis en los estados del inconsciente representan una anulación de la conciencia, del compromiso y la responsabilidad.[58] Sartre, basándose en el concepto de Husserl, postula que la conciencia es algo sólo en la medida en que es conciencia de algo, en que es referencia a un ser distinto a ella. Por lo tanto, nos encontramos en un estado de permanente interrogación esperando que un ente nos diga, por sí mismo o por medio de otro, qué es y cómo es, a fin de determinarnos nosotros mismos respecto a aquel ente. A diferencia de las cosas que poseen un ser-en-sí, los seres humanos en el ser-para-sí, poseemos una falta de ser, un no-ser, que constituye un vacío de determinación en espera de la respuesta objetiva, negatividad que se resuelve en el ser o en la nada.

En este perpetuo movimiento hacia afuera, el ser-parasí entra en relación de conflicto con un Otro cuya percepción y mirada es un enigma; no sabemos lo que el otro ve aunque, afirma Sartre, la mirada del otro roba parte de nuestro mundo. Sin embargo, la conciencia sólo se confirma a través del reconocimiento del Otro de que dicha conciencia existe y, en este ámbito de flujos recíprocos, el pensador francés define el amor como la expresión humana del deseo de ser justificado, de tener a alguien que nos ame y justifique nuestra existencia como tal. De allí que un modo de constituirse en el ser-para-sí sea el espectrum de la sexualidad, el amor y el deseo que conducen a la experiencia de la conciencia como cuerpo. Sartre rechaza los valores tradicionales adscritos al cuerpo en los discursos científicos para hacer de él un elemento constitutivo del ser.

El ser-para-sí en la modalidad de ser-para-el-otro está sujeto a la constante amenaza de ser destruido e incluso el amor, como relación que aspira al gozo y la generosidad pura, se tiñe de inseguridad e insatisfacción.[59] Como si la pérdida del Paraíso Terrenal hubiera sido la condena de lograr establecer nuestra identidad sólo en la medida en que hagamos del Otro un Objeto, la condición de alteridad es la verdadera contingencia de toda relación humana, razón por la cual el flujo recíproco está sujeto a mareas de la desarmonía y la desigualdad. Si bien Simone de Beauvoir encaminó este concepto hacia estructuras de poder establecidas por el patriarcado, Jean-Paul Sartre siempre lo mantuvo en un nivel despojado de la categoría genérico-sexual e, incluso en entrevista publicada en *L'Arc* en 1975, reconoce que nunca tuvo una conciencia política con respecto a la subordinación de la mujer.[60]

A primera vista, la filosofía sartriana estaría apuntando hacia un concepto del ser más allá de toda construcción cultural o adscripción de tipo genérico, la fluidez de las relaciones establecidas en la dinámica siempre cambiante de un Sujeto susceptible a transformarse en Objeto y viceversa significaría, en ultima instancia, un fenómeno por sobre las estructuras tradicionales de poder. Sin embargo, en su elaboración del concepto del ser-en-sí, el discurso de Sartre se tiñe de significantes asociados con el estereotipo de lo femenino. Al referirse, por ejemplo, en *El ser y la nada*, a la caída del ser-para-sí en el ser-en-sí, la define como una inmersión en el lodo y el légamo, para él esta venganza del ser-en-sí es una venganza femenina y morbosamente dulce, azucarada, pegajosa. Lo viscoso de la condición estática corresponde a una inmanencia pasiva que él asocia con lo femenino, del mismo modo como la imagen del orificio tiene su referente en la anatomía de la mujer la cual pertenece a todo aquello que se abre y que recibe el ser a través de la penetración.[61]

No obstante el uso de estos significantes que contradicen la posición teórica de Sartre, es importante señalar que su concepto del ser siempre dirigido hacia lo Otro posee implicaciones significativas con respecto a la mujer. Si en la tradición de occidente, como hemos tratado de demostrar en este capítulo, la mujer ha sido generalmente concebida como adición y apéndice ("costilla") que complementa a un Sujeto masculino ya completo, en el existencialismo de Sartre, ese Sujeto en un ser-para-sí se encuentra en una constante interrogación y búsqueda, abierto hacia un afuera que le provee, sólo de manera provisoria, el ser o la nada. Lejos de ser una totalidad cerrada y autónoma, el Sujeto es una multiplicidad de vectores que existen en virtud del Otro. Sartre abre así la represa de la estaticidad del Sujeto ya hecho, convirtiendo la metáfora del hálito divino en un vendaval que lleva y trae a ese Sujeto en el proceso siempre inacabado de la determinación del ser. Y, en esta región a la intemperie, la mujer en su calidad de Otro ya no es el complemento pasivo sino, más bien, un elemento esencial en los procesos constitutivos del Sujeto masculino.

El laberinto de la soledad (1950) de Octavio Paz se inserta en la conjunción del surrealismo y el existencialismo de post-guerra. Desde la ladera latinoamericana, Paz reelabora la imagen surrealista de la mujer, enfatizando sus dimensiones trascendentales con respecto a los orígenes, lo cósmico y la poesía misma. Así, en *El arco y la lira*, dirá: "Conozco tus ojos, el peso de tus trenzas, la temperatura de tu mejilla, los caminos que conducen a tu silencio. Tus pensamientos son transparentes. En ellos veo mi imagen confundida con la tuya mil veces mil hasta llegar a la incandescencia. Por ti soy una imagen, por ti soy otro, por ti soy. (...) Los pronombres de nuestros lenguajes son modulaciones, inflexiones de otro pronombre secreto, indecible, que los sustenta a todos, origen del lenguaje, fin y límite del poema".[62] Simultáneamente, en *El laberinto de la soledad*, se dan resonancias del existencialismo en la elaboración del concepto de autenticidad, en el planteamiento de las relaciones interpersonales como conflicto e incomunicación y en el carácter ontológico otorgado a la soledad.

En un ademán similar al de Carl G. Jung,[63] Paz inquiere en los elementos latentes que configuran la identidad nacional mexicana y postula que, en los pueblos en trance de crecimiento, el ser se manifiesta como una interrogación (qué somos y cómo realizaremos eso que somos).[64] Pero esta interrogación del ser a nivel colectivo, deviene también en la reflexión individual de Paz en una búsqueda de los orígenes, en la sanción y mitificación de lo propio.

Consciente de las postulaciones de Simone de Beauvoir en *El segundo sexo*,[65] su acercamiento teórico con respecto a la identidad modifica, de manera radical, todo un largo y prolífero discurso acerca de la especificidad identitaria de lo latinoamericano. Tradicionalmente y de manera sistemática, este discurso partía de la categoría generalizante "hombre" a través de la cual ignoraba toda posibilidad de una diferencia genérica omitiendo, en forma implícita, a la mujer en una estrategia ya típica del Sujeto excluyente. Hacia los años en que se publicó *El laberinto de la soledad*, Benjamín Subercaseaux en *Chile o una loca geografía* inquiría en la identidad nacional partiendo de la heterogeneidad del entorno telúrico mientras Eduardo Mallea analizaba lo que él denominaba la fisonomía espiritual de la nación, buceando en los rasgos esenciales de la Argentina invisible.

Dentro, tanto de la tradición como de su contexto coetáneo, la visión de la identidad, en el pensamiento de Octavio Paz, revolucionó todo paradigma al postular que el ser está inmerso y se manifiesta en la escisión fundamental entre hombre y mujer, como configuraciones de tipo social y cultural marcadas por una estructura eminentemente patriarcal.

Decodificando los significados latentes en las relaciones entre ambos grupos genéricos, Paz utiliza la anatomía sexual como metáfora básica del ser mexicano que actúa de acuerdo a toda una axiología centrada en el "abrirse" y el permanecer "cerrado". Así, afirma:

El lenguaje popular refleja hasta qué punto nos defendemos del exterior: el ideal de la "hombría" consiste en no "rajarse" nunca. Los que se "abren" son cobardes. Para nosotros, contrariamente a lo que ocurre con otros pueblos, abrirse es una debilidad o una traición. El mexicano puede doblarse, humillarse, "agacharse", pero no "rajarse", esto es, permitir que el mundo exterior penetre en su intimidad. El "rajado" es de poco fiar, un traidor o un hombre de dudosa fidelidad, que cuenta los secretos y es incapaz de afrontar los peligros como se debe. Las mujeres son seres inferiores porque, al entregarse, se abren. Su inferioridad es constitucional y radica en su sexo, en su "rajada", herida que jamás cicatriza. (pp. 26-27)

De esta manera, el signo anatómico sexual deviene en una espiral de valores que rigen tanto la conducta como la visión de mundo del pueblo mexicano. La valoración del hermetismo constituye para Paz, la raíz de las máscaras, del pudor (reserva en el hombre, recato en la mujer) y el amor a la Forma que se expresa en el apego al orden, la ceremonia y las fórmulas en las relaciones interpersonales. Es precisamente contradiciendo este rasgo característico del ser mexicano que Octavio Paz desenmascara y despoja de sus atavíos a las estructuras de poder que yacen en la base misma de los signos adscritos al hombre y la mujer. Es importante observar que no se restringe sólo a las diferencias impuestas por la estratificación social sino que, ampliando el ámbito de "clase", distingue otras manifestaciones del poder que se entretejen para subordinar a "pobres, mujeres y niños" (p. 179). De esta manera, implica que la subordinación de la mujer está sujeta a otros mecanismos que trascienden los esquemas fundados en los paradigmas de la jerarquía establecida por el dinero y la propiedad. La hegemonía masculina, dispersa en todas las clases sociales, otorga al hombre una posición de Sujeto poseedor de todas las metas mientras la mujer deviene en un Otro que le sirve de recurso inmanente. Paz asevera: "Como casi todos los pueblos, los mexicanos consideran a la mujer como un instrumento, ya de los deseos del hombre, ya de los fines que le asignan la ley, la sociedad o la moral" (pp. 31-32). Coincidiendo con el concepto del Absoluto masculino elaborado por Simone de Beauvoir, este Sujeto, en el proceso siempre inacabado de construir su identidad, proyecta en la mujer tanto sus aspiraciones como su temor a la vulnerabilidad. Anclada en la pasividad y la inmanencia, la mujer mexicana "es sólo el reflejo de la voluntad y querer masculinos" (p. 32), tierra, madre y virgen, prostituta, ídolo y diosa. Imagen esculpida que carece de toda voluntad, razón por la cual Paz afirma: "La mexicana simplemente no tiene voluntad. Su cuerpo duerme y sólo se enciende si alguien lo despierta. Nunca es pregunta, sino respuesta, materia fácil y vibrante que la imaginación y la sensualidad masculina esculpen". (p. 33)

De este modo, en un gesto que transgrede las normas impuestas por lo "cerrado", el pensador mexicano abre y raja los íconos de "lo femenino" para penetrar en los andamios ideológicos que los sustentan. Tras el mito de la "sufrida madre mexicana", la víctima que al dolor opone un hermético estoicismo, Paz detecta la proyección de un Sujeto masculino que aspira a ser invulnerable, a alcanzar esa condición cerrada que lo protege del mundo. Y, en el manto de lo oculto que la recubre, subyace su condición marginal en un mecanismo que convierte todo lo periférico en enigma. De esta manera, junto con penetrar y desmoronar la arcilla de los íconos femeninos, Paz desenmascara al hombre para mostrarlo como un Sujeto a medias que oscila y vacila entre el rígido código de la hombría y el terreno quebradizo de sus temores y aspiraciones.

El desnudamiento de los valores patriarcales y sus representaciones conducen a Paz a detectar, en el lenguaje mismo, el valor de la blasfemia como signo matriz que revierte a la metáfora sexual, ahora como fundamento de los orígenes. El verbo chingar, correspondiente a lo activo masculino, denota, en México, los significados de rasgar, de salirse de sí mismo, de penetrar por la fuerza en otro. Verbo de la violencia y la agresividad, de la destrucción y el ámbito del desorden que porta en sí mismo la escisión fundamental entre hombre y mujer. De allí que asevere: " Lo chingado es lo pasivo, lo inerte y abierto, por oposición a lo que chinga, que es activo, agresivo y cerrado. El chingón es el macho, el que abre. La chingada, la hembra, la pasividad pura, inerme ante el exterior. La relación entre ambos es violenta, determinada por el poder cínico del primero y la impotencia de la otra. La idea de violación rige oscuramente todos los significados. La dialéctica de "lo cerrado" y "lo abierto" se cumple así con precisión feroz". (p. 70)

Para Octavio Paz, el vocablo chingar se inserta así en las figuras de la madre y el padre, pareja arquetípica primordial que él contextualiza en la historia mexicana, violentamente irrumpida por el conquistador español. Según su interpretación, el padre carece de los rasgos benéficos observados en otras culturas y representa, más bien, el poder viril en sus manifestaciones de cólera, de ira y violación, razón por la cual afirma que su significado real es muy similar al del verbo chingar, por ser la fuerza desligada de toda noción de orden, el poder arbitrario y la voluntad sin freno. Incluso la afirmación del Padre es un acto violento mientras se produce "una violenta, sarcástica humillación de la Madre" (p. 72). Enraizada en la especificidad histórica del país, la figura de Hernán Cortés se erige como mito primordial del Padre; mientras la Malinche, en su calidad de mujer indígena seducida y violada, representa a la Madre en la modalidad de la traición.[66] No obstante interpretaciones feministas contemporáneas han dado énfasis a la Malinche como Sujeto poseedor del lenguaje, Paz en *El laberinto de la soledad*, analiza su función de traductora/traidora, según la visión que él considera prevalente en el pueblo mexicano. Y, centrándose en el binomio Padre violador (Cortés) y Madre violada (la Malinche), establece que ambos constituyen el símbolo de un conflicto secreto y no resuelto de la identidad y los orígenes. La Madre violada produce en partos múltiples a La Chingada caracterizada de la siguiente manera: "Su pasividad es abyecta: no ofrece resistencia a la violencia, es un montón inerte de sangre, huesos y polvo. Su mancha es constitucional y reside, según se ha dicho más arriba, en su sexo. Esta pasividad abierta al exterior la lleva a perder su identidad: es la Chingada. Pierde su nombre, no es nadie ya, se confunde con la nada, es la Nada". (p. 77) El ámbito ancestral del origen está anclado, por lo tanto, no en el orgullo sino en el repudio hacia el invasor y la mujer invadida. Conflicto que, para Octavio Paz, posee dimensiones metafísicas en el ámbito de la soledad y la nada. Afirma: "Nuestro grito es una expresión de la voluntad mexicana de vivir cerrados al exterior, sí, pero sobre todo, cerrados frente al pasado. En ese grito condenamos nuestro origen y renegamos de nuestro hibridismo. (...) Al repudiar a la Malinche(...) el mexicano rompe sus ligas con el pasado, reniega de su origen y se adentra solo en la vida histórica". (p. 78)

Para la mirada de Paz que no deja nunca de observar los intersticios de la cultura mexicana, la veneración al Cristo sangrante y humillado responde a la necesidad de poseer una imagen simbólica de la pobreza y el dolor, mientras Cuauhtémoc ("el águila que cae") representa al héroe caído, al guerrero/niño que aún espera su resurrección. Y la

Virgen de Guadalupe (madre asociada con Tonantzin, en una modalidad hermética de la maternidad por su condición virginal) es el consuelo de los pobres y el amparo de los oprimidos, la intermediaria entre los desheredados y el poder desconocido. Nos sugiere, de esta manera, la presencia de figuras compensatorias en los sectores marginales de la sociedad mexicana que estarían dando origen a un movimiento dialéctico entre el centro y sus periferias.

En nuestra opinión, uno de los valores relevantes de *El laberinto de la soledad* yace en el hecho de que Octavio Paz interpreta la escisión genérica como una construcción cultural inserta, tanto en un devenir histórico marcado por el mestizaje y las estructuraciones diversas del poder como en el caudal permanente del ritual y el mito, del lenguaje, de los discursos de la élite intelectual y la canción popular. Heteroglosa que se reitera en la posición que él asume como ensayista. Su interpretación de la identidad mexicana está escrita a partir de un "somos" el cual, generalmente en el discurso ensayístico, posee un carácter inclusivo entregado desde una posición de autoridad. Sin embargo, este "somos" en el discurso de Paz se inserta en las tensiones de la heterogeneidad, pues corresponde a un "ellos son" que le permite un distanciamiento enjuiciador y, simultáneamente, revierte a un "yo soy" que motiva el cuestionamiento de la propia identidad. Estos pronombres se presentan desde el sitio de un Sujeto masculino que mira hacia los márgenes con una clara conciencia de que la mujer, en la sociedad mexicana, ha sido el mito venerado o despreciado que jamás ha poseído el derecho a construir parámetros culturales propios.

En los turbios cauces de la posmodernidad y la teoría lacaniana

Comparando en conjunto al varón y la mujer, es lícito decir: la mujer no poseería el genio del adorno si no tuviera el instinto del papel secundario.

El traje negro y el mutismo visten de inteligencia a cualquier mujer.

Friedrich Nietzsche. Más allá del bien y del mal.

Considerado como la plataforma giratoria que marca la entrada a la posmodernidad,[67] Nietzsche inicia también un discurso acerca de la mujer que está preñado de pluralidades y redecires; en éste, hablar de la mujer es subsidiario a la intención de desmantelar los andamios de la modernidad forjada por soportes de un poder que el filósofo reconoce como masculino. Su rechazo de una crítica inmanente a la razón centrada en el Sujeto significó partir de una subjetividad decentrada, liberada de todas las limitaciones de la actividad racional y de los imperativos de lo útil y la moral. El mundo aparece, así, como un tejido de simulaciones que, tras la supuesta validez de lo universal, ocultan las acciones que corresponden a una perversión de la voluntad de poder. Dios, el Sujeto cartesiano y el concepto neutro y objetivo de la ciencia son, para Nietzsche, ficciones que ocultan la violencia del poder. Por lo tanto, la unidad, la universalidad y la verdad son el resultado de la pugna entre una multiplicidad de identidades e intereses divergentes entre los cuales se impone una perspectiva que tiraniza a las otras a través del lenguaje que designa lo heterogéneo de forma uniforme, convencional y obligatoria.

Apartándose de la cultura filosófica tradicional que consideraba el estilo como la mera forma o medio de transmitir un contenido, Nietzsche, filósofo de la "gaya ciencia" cuyo conocimiento es plural, trágico y dionisíaco, le otorga la posibilidad de "comunicar un estado, una tensión interna de *pathos*, por medio de signos, incluido el *tempo* (ritmo) de esos signos".[68] Es más, con la intención estratégica de desenmascarar el mecanismo que oculta las máscaras impuestas por un dogmatismo que arranca de la filosofía de Platón, Nietzsche, en sus escritos, asume una naturaleza proteica a través del uso de una profusión de máscaras: la del espíritu libre en *Humano, demasiado huma-*

no, la de Zaratustra, Dioniso y el Anticristo. Llama la atención, sin embargo, que algunas de sus ideas sobre la mujer se elaboren fuera del terreno versátil de esta estrategia. Como un desenmascarador burlado, Nietzsche cae en la trampa de un discurso dogmático e incluso copia literalmente los conceptos de Chamfort, La Rochefoucauld y Schopenhauer.[69] Bajo la rigidez de este rostro asumido sin cuestionamiento, es significativo que, antes de hablar de la mujer en *Más allá del bien y del mal* (1885), se refiera a un tipo de conocimiento latente y subterráneo "rebelde a todo aleccionamiento, una roca granítica de *fatum* (hado) espiritual, de decisión y responsabilidad predeterminadas a preguntas predeterminadas y elegidas".[70] Desde esta zona fuera de un "aprender (que) nos transforma" (p. 181), Nietzsche ataca el movimiento de emancipación feminista y su discurso acerca de la mujer catalogándolo como "uno de los peores progresos del *afeamiento* general de Europa" (p. 181). Aferrándose a la concepción de Rousseau quien definía a la mujer como un ser con la inteligencia y el arte de la gracia y la habilidad para disipar las preocupaciones del hombre, todo cambio constituye un desastre y una degeneración razón por la cual, haciendo eco de las palabras de Santo Tomás de Aquino ("mulier taceat in ecclesia!") exige que la mujer calle acerca de la mujer ("mulier taceat de muliere").

Además, desfigurando los dos versos finales del *Fausto* de Goethe ("Das Ewig-Weibliche / Zieht uns hinan" - "Lo eterno femenino / nos arrastra hacia lo alto"), cambia "weiblich" ("femenino") por "langweiblich" ("aburrido") y, en un tono exclamativo, ruega que lo eternamente aburrido que hay en la mujer nunca se manifieste a través del lenguaje y que ella no aspire a la educación, ni a su independencia jurídica y económica. Por consiguiente, considera de mal gusto y hasta una corrupción de los instintos que Madame Roland, Madame de Staël y George Sand, calificada por él, en *Crepúsculo de los ídolos*, como vaca ("lactea ubertas"), escriban acerca de la mujer y sus derechos.

Esta posición desde una retaguardia que comienza a ser

anacrónica resulta aún más reaccionaria, si consideramos el hecho de que su pensamiento está fundamentado en el concepto de "naturaleza", como un conjunto de atributos inmutables. Dice:

> Lo que en la mujer infunde respeto y, con bastante frecuencia, temor es su *naturaleza*, la cual es "más natural" que la del hombre, su elasticidad genuina y astuta, como de animal de presa, su garra de tigre bajo el guante, su ingenuidad en el egoísmo, su ineducabilidad y su interno salvajismo, el carácter inaprensible, amplio, errabundo de sus apetitos y virtudes. . . Lo que pese a todo el miedo, hace tener compasión de ese peligroso y bello gato que es la mujer es el hecho de que aparezca más doliente, más vulnerable, más necesitada de amor y más condenada al desengaño que ningún otro animal. (p. 189)

Contradiciendo aquella mirada escrutadora que lo caracteriza, no es capaz de distinguir los mecanismos enmascaradores del poder patriarcal que han propuesto que la mujer tenga como "primera y última profesión, la de dar a luz hijos robustos y sanos" (p. 189) dejando al hombre las faenas del pensar, el trabajar y el hacer política. Es más, considera "necesario", "lógico" y "humanamente deseable" que los hombres hayan sido rigurosos con la mujer a quien, en su discurso, describe como "pájaros que, desde una altura cualquiera, han caído desorientados hasta ellos (los hombres): como algo más fino, más frágil, más salvaje, más prodigioso, más dulce, más lleno de alma, como algo que hay que encarcelar para que no se escape volando". (p. 186)

La mención de esta posibilidad de vuelo, de abandonar el territorio asignado responde, evidentemente, a aquel temor latente que se da en los discursos acerca de la mujer elaborados desde la perspectiva de un hombre y que han sido analizados en este capítulo. En el caso de Nietzsche, este temor es el miedo a que se inviertan las fichas del miedo, a que sean las mujeres las que manejen a los hombres. La jaula que encarcela a la mujer es un callar por temor, una represa para todo lo mezquino que hay en ella, así nos dice: ".... son muchas las cosas pedantes, superficiales, doctrinarias, mezquinamente presuntuosas, mezquinamente desenfrenadas e inmodestas que en la mujer hay escondidas—, cosas que, en el fondo, por lo que mejor han estado reprimidas y domeñadas hasta ahora ha sido por el *miedo* al varón". (p. 182)

Esta represa, sin embargo, adquiere en el pensamiento de Nietzsche otras connotaciones que crean trizaduras en la máscara del discurso misógino. Lo reprimido y lo no dicho en la región de lo femenino corresponde también a lo otro de la razón que, implícitamente en estas páginas de Nietzsche, han salvado a Europa de la hecatombe total. Se da, así, en su discurso, un doblez significativo que modifica la literalidad de lo dicho acerca de la mujer. Para Nietzsche, el discurso feminista de su época está duplicando el dogmatismo y los objetivos científicos de los hombres, actividad que eliminaría la posibilidad de que la mujer se mantenga fuera de la verdad, razón por la cual afirma, al referirse al feminismo: "Hay *estupidez* en ese movimiento, una estupidez casi masculina, de la cual una mujer bien constituida—que es siempre una mujer inteligente—tendría que avergonzarse de raíz". (p. 188)

De esta manera, ahora extiende la opinión de Rousseau para quien la mujer representa simplemente el descanso de las faenas diarias del hombre. Para Nietzsche, la mujer no es sencillamente una dulce Sophie que suplementa y colabora a partir del corazón con los proyectos de la modernidad; por el contrario, él la concibe como un ser fuera de los debates sobre la verdad y la ubica en el terreno de la apariencia y la belleza que hacen que la seriedad, la gravedad y la profundidad de los hombres parezcan tontería. Ella es, entonces, el elemento desestabilizador que estabiliza a través de la presencia de un elemento que contradice los valores de la cultura masculina. Es el silencio y la distancia que se contraponen al ruido del hombre, a aquel torrente caótico que necesita de la superficie asociada, en su filosofía, con el lenguaje como forma y significado que salva del caos.[71]

Así hablaba Zaratustra constituye, en muchos sentidos, una meditación acerca de la relación entre el silencio y el decir, entre la visión y la verbalización, entre el disgusto frente a la insuficiencia del lenguaje y el goce de la exaltación poética. En la sección titulada "De las mujeres viejas y las mujeres jóvenes", Zaratustra oculta bajo su manto "una pequeña verdad" que él describe como un tesoro travieso, como un niño a quien, si no se le cubriera la boca, gritaría con todas sus fuerzas.[72] Esta verdad, tan diferente a aquélla gravemente enunciada por los hombres, le fue entregada por una mujer vieja que le pidió le hablara de las mujeres.

A primera vista, las palabras de Zaratustra reiteran el ideologema patriarcal de la oposición Hombre-Mujer en la dicotomía de lo activo y lo pasivo. Así, la felicidad del hombre está en un "yo quiero" que, en el caso de la mujer, se desplaza a un "él quiere" y ella debe ser educada "para solaz del reposo del guerrero" (p. 87). Sin embargo, simultáneamente, se insertan brechas en este discurso patriarcal fundamentado en el sentido unívoco otorgado al lenguaje. Zaratustra declara que todo en la mujer es un enigma y que la única palabra para este enigma es la preñez. Desde el ámbito de un orden social que ha restringido a la mujer al rol primario de madre, la preñez sólo sería la condición biológica que la define, pero, en el discurso de Nietzsche, la preñez es sinónimo de creación y fertilidad, de la posibilidad de crear y recrear aquello que ha sido estratificado. Entre lo dulce y lo amargo, ella representa tanto el peligro como el juego, dos actividades que transgreden la rigidez impuesta por el poder. De allí que exclame: "¡Qué la mujer sea un juguete, menudo y puro, parecido al diamante, irradiando las virtudes de un mundo que todavía no existe!" (p. 88)

La palabra "juguete" al igual que "preñez" porta, por lo tanto, dos significados simultáneos que hacen oscilar al signo mujer entre el lenguaje fijo del estereotipo y un nuevo significado que apunta hacia la aniquilación de los paradigmas de la modernidad. Y, en este sentido, la insistencia de Nietzsche de asociar a la mujer con el adorno y lo superficial posee resonancias importantes. Lo superficial que alude a la simpleza y la memez es también, para él, en un sentido opuesto, la apariencia, la metáfora, el arte que hacía a los griegos superficiales por ser profundos. Así, en *La gaya ciencia*, exclama: "¡Oh, aquellos griegos! Ellos sí sabían cómo vivir. Lo que se requiere para eso es heroicamente detenerse en la superficie, el doblez, la piel, adorar la apariencia, creer en las formas, los tonos, las palabras, en todo el Olimpo de la apariencia. Los griegos eran superficiales a causa de ser profundos".[73]

Dentro de este contexto, la pequeña verdad de la mujer vieja, figura por excelencia del escepticismo en los escritos de Nietzsche, debe entenderse en un sentido equívoco y polisémico. El consejo de que Zaratustra debe llevar un látigo si va con mujeres, alude al signo mujer, tanto en el sentido de objeto de sumisión como de sujeto de la subversión. Se crea, así, una indeterminación puesto que el látigo puede ser instrumento de castigo, pero también de penitencia. Por otra parte, el látigo, en el contexto de la sexualidad, posee resonancias fálicas que aludirían a aquello que el hombre ha impuesto como imperativo en su relación con la mujer. Pero, el pensamiento de Nietzsche inserta una duda con respecto hasta qué punto el látigo en mano del hombre o la verdad en boca del hombre resultan instrumentos efectivos. En "De las mujeres viejas y las mujeres jóvenes", el comparativamente largo discurso de Zaratustra acerca de las mujeres es descalificado por el hecho de que la anciana le asegura que olvidará, enseguida, lo que él diga mientras su sucinto y ambiguo consejo es guardado por Zaratustra, bajo su manto, como un tesoro. El látigo, además, pierde todo su poder en la sección titulada "La otra canción del baile", aquí, al enfrentarse Zaratustra con la pluralidad de la vida, simbolizada por una mujer, trata de exigirle que baile y grite al ritmo de su látigo. Pero, entonces, la vida, cubriéndose los oídos anula su acción exclamando: "¡Oh Zaratustra! ¡No restalles tan espantosamente tu látigo! Bien lo sabes: el ruido asesina los pensamientos..., y ¡he aquí que a mí llegan tan tiernos pensamientos!" (p. 232)

Es evidente que la mujer, dentro de la perspectiva de Nietzsche, resulta ser un sitio de tensiones y contradicciones que siguen dos cauces diferentes. En su calidad de metáfora, ella es la germinación múltiplemente alegórica de las siluetas movedizas de la Sabiduría, la Soledad, la Eternidad y la Vida que no cesan de esculpirse como idealización y recurso en un pensamiento que intenta anular todo trazo de una totalidad. Como otro flujo aparecen las mujeres concretas, con una corporeidad histórica, frente a las cuales estallan los ruidos monosémicos del discurso misógino. La mujer como distancia, como verdad, suspendida, como el nombre de la no-verdad de la verdad posee, a pesar de Nietzsche, un ancla concreta. Es su exclusión de la filosofía y otras actividades culturales la que le provee a él las regiones de un Otro al cual le atribuye los significados de lo indecible e indecidible. De allí que cualquier postulación feminista le resulte un acto de polución, de degeneración de aquello que él considera incontaminado por los debates de la razón dogmática. En su pensamiento, este factor histórico deviene en algo escurridizo, siempre movible que, contradictoriamente, continúa teniendo el valor de un ancla puesto que, la mujer, como fuente metafórica plural, provee uno de los soportes de su filosofía; no obstan te, Nietzsche aspira a la fluidez de lo heterogéneo e inconcluso.

El estudio de Jacques Derrida acerca de la mujer en el pensamiento de Nietzsche conlleva, en nuestra opinión, réplicas y resonancias que reiteran las tensiones entre la mujer como ente histórico y la mujer como idea e instrumento de deconstrucción. Si, en los escritos del filósofo alemán, ella es uno de los recursos para socavar los paradigmas de la cultura de occidente, en *Espolones. Los estilos de Nietzsche*, la mujer como recurso deviene también en el pretexto de Derrida para postular su propia posición con respecto a la escritura y todo proyecto hermenéutico. De allí que estilo y mujer tengan, en la interpretación derridiana, una continuidad en la nota suelta escrita por Nietzsche donde apunta: "Se me olvidó el paraguas". Esta nota, entre comillas y fuera de contexto, desmantela el por qué y el para qué de la lectura y, como la mujer o la escritura, para Derrida, simplemente "finge ser lo que finge ser".[74] Es más, extendiendo este concepto a su propio texto, Derrida lo define como un injerto errático y paródico que está fuera de la región tradicional de una totalidad.

Derrida detecta tres movimientos básicos con respecto a la mujer en los escritos de Nietzsche: ella es lo censurado y devaluado, la no-verdad en un orden falogocéntrico; también es lo censurado y devaluado, pero asociada con la figura de la verdad; y, en una tercera proposición que niega las dos anteriores, es la fuerza afirmativa de la simulación, el arte y lo dionisíaco. Movimientos que resume en las siguientes oraciones: 1) El era, temía a esta mujer castrada, 2) El era, temía a esta mujer castrante y 3) El era, amaba a esta mujer reafirmante. Pero, más que las proposiciones en sí, lo que le interesa a Derrida es la indecisión de Nietzsche, los desplazamientos de la polisemia que socavan, en su opinión, los postes fijos de toda oposición binaria. Razón por la cual afirma que la mujer "suspende la oposición decidible entre la verdad y la no-verdad inaugurando así el régimen epocal de las comillas el cual se aplica a cada concepto perteneciente al sistema de la decidibilidad filosófica. Bajo este régimen, se descalifica el proyecto hermenéutico que postula un sentido verdadero del texto. De este modo, la lectura escapa del horizonte del significado o la verdad del ser, se libera de los valores de la producción del producto o la presencia de lo presente". (p. 107)

Anulada la posición privilegiada del contenido, de la tesis o del significado, el estilo, para Derrida, se desencadena como escritura, como una operación que rasga y protege, que avanza y detiene. Por una parte, este estilo es una pluma o estilete que perfora y deja impresa su marca, una punta afilada que deriva su poder de los tejidos resistentes de los velos y velas (de navegación) que se erigen a su alrededor. Es la proa del barco que se inserta y quiebra el oleaje, pero simultáneamente es también el punto rocoso o malecón que recibe el golpe de las olas y sirve a la vez de medio de protección. Este proteger a la presencia, al significado, a la verdad se da, sin embargo, en una condición provisoria. Razón por la cual queda a la intemperie de un "ya", de la hendidura, el precipicio y la ruptura que ya puede haber sido "desflorada" por el develamiento de la diferencia.

A nivel cotidiano y proverbial, se ha dado en la cultura de occidente, la opinión de que, pese a que son los hombres los que mandan, en el fondo, son las mujeres las que poseen el poder. En *Humano, demasiado humano*, Nietzsche hace eco de esta idea aseverando que ellas han sacado ventaja de su posición subordinada para ejercer el mando. Desviándose de un análisis de este fenómeno cultural que llevaría a inquirir, tanto en la imagen de la mujer representando el poder oculto como en los mecanismos de un patriarcado que compensa la subordinación invirtiendo sus términos, Derrida opta por utilizar este diseño dual para elaborar el concepto de propiación, como proceso simultáneo de la apropiación y la expropiación, el poseer y el ser poseído. En su interpretación de Nietzsche, la mujer es mujer porque se entrega para ser poseída por el hombre, pero, a la vez, es mujer porque tras la simulación de una entrega, se asegura de ser dueña de sí misma. Esta indecibilidad de la propiación produciría, por consiguiente, un desmantelamiento de los roles atribuidos a cada sexo, un cambio de lugar y de máscaras en un proceso que él considera se da "ad infinitum" (p. 111). Lo que lo lleva a ubicar la propiación fuera de toda dialéctica y decibilidad ontológica, anterior, según su opinión, a la sexualidad y más fuerte que el velo de la verdad o el significado del ser.

Si bien, como parte de una disquisición filosófica, el concepto de propiación le sirve a Derrida para pasar a su discusión de Heidegger, vale la pena detenerse en sus implicaciones con respecto a la diferencia sexual, aquí eliminada con un rápido brochazo. Consecuente con su posición deconstructivista, Jacques Derrida, al igual que Nietzsche, concibe a la mujer como aquello que no nombra, que no crea violencia a través del acto de nombrar, como el hilo a través del cual se puede deshacer el tejido del pensamiento de occidente.[75] En su posición de término devaluado en las ya tradicionales oposiciones binarias, ella resulta una alternativa lógica para la castración, el prefacio de un libro equiparado a la categoría "hombre", el exceso y el "no ya" en el espacio de la diseminación que Derrida describe como la efervescencia de lo plural envuelta en la contradicción infinita, siempre marcada y tachada por la sintaxis indecidible del "más".[76]

Pero, favorecer el término "mujer" es para Derrida, no un acto político, sino simplemente una estrategia, según sus propias palabras, al afirmar:

> Por supuesto que decir que la mujer está en el lado de la indecibilidad, etc, tiene sólo el significado de una fase estratégica. En una situación dada, la nuestra, la de una estructura europea falogocéntrica, el lado de la mujer es el lado desde el cual se empieza a desmantelar esta estructura. Así, se puede poner la indecibilidad y todos los otros conceptos que van con ella al lado de la femineidad, la escritura, etc. Pero, tan pronto se ha alcanzado la primera etapa de la deconstrucción, la oposición entre hombre y mujer deja de ser pertinente. Entonces ya no se puede decir que la mujer es otro nombre, o un buen tropo para la escritura, la indecibilidad, etc. Necesitamos encontrar alguna manera de avanzar estratégicamente. Hay que empezar con la deconstrucción del falogocentrismo usando la fuerza femenina, por así decirlo, en esta movida y luego—en lo que sería la segunda etapa o segundo nivel—deshacernos de la oposición entre hombres y mujeres. En esta segunda etapa la "mujer" no es el mejor tropo para referirse a todas esas cosas: la indecibilidad, etc. ¡Lo mismo se podría decir de la indecibilidad! La indecibilidad no es un punto de lle-

gada. Es también una letra, una letra mal interpretada porque la indecibilidad—el tema, el motif de la indecibilidad—tiene que ver con una situación dada en la cual tenemos una oposición o una lógica dialéctica.[77]

Es obvio que, en el esquema de Derrida, subyace una concepción falogocéntrica de la diferencia sexual que lo hace caer en la trampa de lo visible, de esa división de los sexos a partir de una morfología fisiológica a través de la cual el poder hegemónico patriarcal ha creado una configuración cultural de los sexos. Hombre y mujer, para la cultura falogocéntrica y para Derrida, son dos categorías rígidas y cerradas que no admiten la fusión, la ambigüedad o la multiplicidad. Por esta razón, sus intenciones deconstructivistas nunca llegan a desmantelar la noción misma de género sexual como inscripción cultural de significados que nunca se postulan como representación prescriptiva, sino más bien, como un hecho que corresponde a una dualidad de carácter biológico y natural.[78]

Por lo tanto, su interés en develar siempre un "entre" es menos ambiguo de lo que pretende ser. Ese "entre" está ubicado literalmente entre dos barras monolíticas erigidas como una totalidad por un poder hegemónico que describe, regula y prescribe lo que debe ser un hombre y una mujer, calificando de anormal, perverso o enfermo aquello que corresponde al flujo heterogéneo de otro "entre" que ha sido marginalizado por las regulaciones de la heterosexualidad. El "entre" que le interesa a Derrida es aquel que produce relaciones diacríticas engendradas por el espacio o la diferencia entre términos binarios que existen, precisamente, a través de aquel espacio o diferencia. Sin embargo, es obvio que Derrida analiza dichas relaciones ubicado en el término que corresponde al Sujeto masculino, sitio desde el cual, contra sus propias intenciones, duplica los gestos de un falogocentrismo que se nutre de su idea y construcción imaginaria de "lo femenino" para elaborar sus discursos. Así, la búsqueda de aquello que no tiene significado decidible y que está fuera de un código finito se realiza, contradictoriamente, dentro de los cuarteles de lo finito, desde una posición falogocéntrica que excluye a la mujer como Sujeto para hacer de ella la comarca de lo metafórico.

En este sentido, el uso del himen en "La doble sesión" no es sólo la apropiación falogocéntrica de parte de la anatomía sexual femenina sino también la exclusión sistemática de toda problematización del orden socio-simbólico. Ubicando como prefacio el escenario del concepto griego de mímesis, Derrida analiza "Mímica", ensayo poético de Mallarmé, para demostrar que es un texto, no fundado en la imitación de un evento anterior sino en la mímica de la estructura misma de la mímesis. Creando una relación indecidible entre la imitación y lo imitado, el texto, como tejido que se dobla sobre sí mismo, se abre para producir un espacio vacío que produce significantes para volver a cerrarse. Según Derrida, el himen, léxico que, a nivel etimológico, significa tanto la membrana de la vagina como el matrimonio resulta, así, la metáfora de esta producción textual en su indecibilidad absoluta puesto que existe el himen (virginidad) cuando no existe el matrimonio (copulación sexual) y no existe el himen (virginidad) cuando existe el matrimonio (copulación sexual). En su acepción de matrimonio, Derrida define el himen como aquello entre una cosa y otra que une y separa mientras que el himen como membrana sería la casi nada "entre el adentro y el afuera de una mujer",[79] lo que produce una confusión y una distinción entre lo de adentro y lo de afuera.

Demás está señalar que esta definición del himen corresponde a una versión imaginaria que ignora toda relación de la mujer con su propio cuerpo. Del mismo modo, la extensión del himen a la zona semántica de la blancura, al abrirse o cerrarse de las páginas de un libro o al ala de un pájaro pertenecen a un nivel estrictamente poético y, por lo tanto, legítimo en sí mismo. Pero, las intenciones de Derrida no son escribir poesía, por el contrario, se propone hacer de "Mímica" y "La doble sesión" un juego deconstructivo a través del cual se haría imposible cualquier de-

112

cidibilidad o taxonomía de temas. Paradójicamente, sus intenciones sólo se cumplen silenciando y borrando toda la red lexical engendrada por el himen. Aparte de excluir su significado de posesión y dominio del hombre con respecto a la mujer, Derrida, en ningún momento, considera que el adulterio es la negación de esa posesión.[80] Tampoco considera, al no salirse de los límites del texto cerrado de la moralidad burguesa, que el adulterio podría ser el "entre" de lo ético institucionalizado y el terreno subversivo de una mujer que elige pertenecer/no pertenecer simultáneamente a dos hombres; o que el amante, como tercer término incluido, cancela y reafirma, en su ilegalidad, el orden del matrimonio.[81]

Para una perspectiva feminista, la deconstrucción de Derrida es un modo de abstraer a la mujer y de reubicar la subjetividad femenina en un Sujeto masculino,[82] "la recuperación masculina de lo femenino"[83] que intenta reafirmarse ocupando tanto un centro como sus márgenes. Razón por la cual no resulta exagerado aseverar que Derrida se hace propietario del signo mujer en una época en la cual los diversos cuestionamientos feministas, apropiándose en parte de sus propias estrategias deconstructivistas, han dilucidado los pasos en falso de un discurso derridiano, aferrado aún a los espesos velos de un falogocentrismo que abstrae y metaforiza a la mujer relegándola a un espacio textual en el cual se ha borrado toda noción histórica del poder.

En contraste, la relectura de Freud en la teoría de Jacques Lacan ubica al signo mujer en un terreno cultural preñado de tensiones y leyes constituyentes que arrojan una nueva luz acerca de los procedimientos simbólicos que delínean y refuerzan la subordinación de la mujer. Trascendiendo el biologismo explícito en la teoría del siquiatra vienés, Lacan, basándose en los postulados de Ferdinand de Saussure, extiende los términos freudianos a un plano lingüístico y socio-histórico en el cual el inconsciente, la sexualidad, el deseo y la identificación son sitios de producción y transgresión de significados. El sujeto escindido, en primera instancia, por un inconsciente en operaciones similares a las del lenguaje gobernado por los polos de la metáfora condensatoria y la metonimia desplazativa, es también un sujeto sexuado cuyo género sexual resulta ser crucial para el tipo de subjetividad, deseo y posición que le asigna la cultura. Es más, para Lacan, el poder significador del lenguaje no se debe sencillamente a que exprese pensamientos o descripciones de la realidad sino al hecho de que significa a los sujetos mismos, constituyéndolos como seres específicos de un entorno histórico y cultural. Así, las relaciones que cada sexo tiene con el falo determinan su posición en un orden social regulado simbólicamente y de carácter intersubjetivo y multisignificativo.

En la teoría de Saussure, el significante corresponde a lo audible/visible que representa y envuelve un significado. El falo, como significante privilegiado en nuestra cultura es, para Lacan, no el sinónimo del órgano biológico designado como pene, sino aquel simulacro al que aludía Freud en las culturas antiguas, es decir, una imagen sacralizada hecha a semejanza del miembro masculino. Y, al definirlo, Lacan pone de manifiesto todo un escenario axiológico por el cual se ha regido nuestra sociedad patriarcal. En su ensayo titulado "La significación del falo", nos dice: "El falo es el significante privilegiado de esa marca en que la parte del logos se une al advenimiento del deseo. Puede decirse que ese significante es escogido como lo más sobresaliente de lo que puede captarse en lo real de la copulación sexual, a la vez que como el más simbólico en el sentido literal (tipográfico) de este término, puesto que equivale allí a la cópula (lógica). Puede decirse también que es por su turgencia la imagen del flujo vital en cuanto pasa a la generación".[84] En el ámbito de lo Real, la vagina y el clítoris poseen el mismo *status* ontológico y utilidad funcional que el pene para una necesidad natural de sobrevivencia que se da antes de la entrada en el lenguaje. Sin embargo, estos territorios anatómicos de la etapa pre-edípica pasan por una recartografía que los codifica en relaciones simbólicas regidas por un conjunto de valores construidos en la galaxia de la Ley-del-Padre. Presencia, visibilidad y erección computable de un órgano turgente ponen de manifiesto los paradigmas básicos de una economía escópica subyacente en los sistemas diseñados por el orden patriarcal de occidente. A aquello que sobresale (falo, armas, templos y monumentos) se opone lo no erecto e inconspicuo (vagina, materia en penumbra) que recibe el estatuto de lo no existente;[85] por otra parte, la inscripción, concebida como movimiento de un objeto cortante, extiende sus significados a la imagen de un huso que hace posible lo copulativo, en la relación sexual, en los planos sintácticos y en los modelos lógicos. De esta manera, el falo, como figura visible en su calidad de significante, insemina y permea tanto las relaciones sociales como las organizaciones culturales que han sido impuestas por el sistema patriarcal. Inseminaciones que se realizan al amparo de lo velado, de todo aquello que existe a nivel latente y es recogido y envuelto por el significante.

En esta esfera de lo simbólico, el falo se erige como significante de la diferencia sexual elaborada en nuestra cultura a partir de la presencia y la ausencia, del tener y el carecer; dualidades antitéticas que se expresan en el binomio hombre-mujer, dentro de un terreno organizado jerárquicamente a partir de lo masculino, como término privilegiado en su posición de autoridad. De allí que Lacan complejice el significado explícito de la envidia del pene en la teoría freudiana y otorgue a la castración el significado socio-simbólico de carencia de poder. El falo como "significante de significantes" define, así, el acceso de cada sujeto al orden simbólico y es, al mismo tiempo, un emblema de la estructura del lenguaje procesado a través de la sustitución y la metonimia.

Por otra parte, Lacan señala que la entrada al orden simbólico implica, además, insertar nuestro cuerpo en una anatomía imaginaria, en un mapa ya dibujado culturalmente que no corresponde a lo estrictamente biológico sino a un imaginario social que da relevancia a ciertas partes, borrando otras. En este contexto de significaciones, el órgano biológico del pene resulta ser el desplazamiento metonímico del falo

Desde un punto de vista lingüístico, el signo, en su dualidad de significado y significante, existe como sustituto verbal del objeto mismo, él es la unidad que divide el mundo entre lo presente tangible y lo representado. División que engendra, a la vez, la escisión entre el significante (lo audible/visible) y el significado (la imagen, la idea). Esta fundamentación del lenguaje en la división, la ausencia y el vacío es similar, para Lacan, a la posición del sujeto quien, al entrar en el lenguaje, queda definitivamente separado de lo Real—de aquello más allá de la significación y la representación, de aquel ámbito sin límites, divisiones u oposiciones en el *continuum* de lo no elaborado.

Al nacer, el niño sólo siente necesidades primarias que son satisfechas por la madre y en él se da la sensación plena de pertenecer en forma completa al mundo; sensación que se fragmenta en la fase del espejo en la cual su imagen especular lo hace conocer la distinción entre un adentro y un afuera, una presencia y una ausencia. Nociones de división que se multiplican al entrar en el orden simbólico el cual produce la experiencia de la carencia y con ella, el advenimiento de un deseo que no cesará de esforzarse por ser satisfecho. Así, la relación unitaria con la madre se astilla en ese orden simbólico que corresponde a las estructuras preexistentes de los roles sociales y sexuales y de las relaciones que constituyen a la familia y la sociedad. A semejanza del lenguaje, estas estructuras, en calidad de Otro, son siempre anteriores al sujeto y representan lo inasible y lo inaccesible. Dejado atrás el cuerpo materno y toda sensación de plenitud, el sujeto no tiene otra alternativa que satisfacer parcialmente su deseo en el sustituto, en aquel *objet a* (objeto a minúscula) con el que trata interminablemente de llenar el vacío y la ausencia. El falo designa, así, al deseo y al inconsciente como *locus* internalizado de lo Otro y de los impulsos reprimidos. Es el significante tanto del objeto circulado en las relaciones sociales como de las leyes que lo rigen bajo el Nombre-del-Padre.

Si, en la teoría freudiana, el sujeto estaba básicamente dividido por lo consciente y lo inconsciente, en la relectura de Lacan, éste se perfila como un sujeto disperso, nunca idéntico a sí mismo y eslabonado en la cadena de los discursos que lo constituyen. Estas complejizaciones de Lacan no ofrecen, sin embargo, nuevas alternativas ni cambian los sitios de anclaje postulados por Freud, pese a hacerlos gravitar en una esfera socio-simbólica que da relevancia a lo histórico. Como en el caso de Sigmund Freud, la descripción de la etapa pre-edípica, ubicada en lo Real y la necesidad, está teñida por la nostalgia mistificante de los orígenes, del tiempo antes del nombre y antes del verbo, de la unidad del niño y la madre fálica antes de que la palabra de Jehová irrumpa en el ámbito de las "relaciones inocentes". Para esta perspectiva falogocéntrica de los orígenes, la madre fálica queda relegada a lo marginal, a lo anterior al orden simbólico y su omnipotencia no es más que una ilusión que se anulará cuando el niño descubra que ella no posee el falo, es decir, el poder y la autoridad. Es más, en ningún momento, se plantea la maternidad misma como una experiencia fundante de la condición de ser mujer; por el contrario, ser madre, para Freud y Lacan, es un rol y una función que sólo existe en términos del desarrollo síquico del niño o la niña, pero no de la mujer en sí.

Para esta perspectiva que, de manera evidente, mistifica lo maternal a partir de procedimientos típicos de la imaginación masculina, la mujer como madre se reduce a ser un cuerpo que nutre y protege, un sitio de inmersión que crea en el niño las sensaciones de pertenecer completamente al mundo como una entidad indivisible. Ella es la que suple todas las necesidades arrojando velos espesos sobre la carencia y el vacío. *Locus* edénico, en términos míticos, territorio ajeno a la Ley y a las divisiones de las relaciones de intercambio en el orden simbólico, aguas detenidas que alimentan y confortan antes de que el Padre irrumpa en la díada armoniosa y plena de la madre y el hijo. Así, ella es el pre-umbral de aquel otro ámbito signado, en contraste, por la carencia, la castración y el movimiento interminable del deseo. En la teoría de Lacan, la figura de la madre es un preámbulo, un espacio entre paréntesis que posee valor de agente sólo en la esfera de las necesidades, lo que hace de ella un ente estático a nivel cultural, excepto por el hecho de que será ella quien avale la presencia del padre.

Cabe preguntarse, por lo tanto, hasta qué punto este análisis y descripción de la etapa pre-edípica reinscriben el poder patriarcal duplicando la Letra del Padre, sin ofrecer paradigmas alternativos. Se podría argüir que, como en el caso de Freud, Jacques Lacan está analizando "el orden de las cosas" y que sus postulaciones son legítimas en cuanto a descripción que se atiene a una especificidad del poder patriarcal y las modalidades culturales y síquicas que éste asume. Sin embargo, los discursos teóricos, como los discursos producidos por las observaciones científicas, no son sencillamente la descripción del fenómeno bajo el lente del microscopio, ellos implican una interpretación, desde una perspectiva ideológica que realza ciertos aspectos y minimiza u oscurece otros. Elemento distorsionador que revierte y se entrecruza con la realidad interpretada contribuyendo, así, a perpetuar o modificar la axiología dominante.

Lacan, al aferrarse a los esquemas básicos postulados por Freud, perpetúa a un sujeto cuya trayectoria continúa signada por la figura masculina de Edipo presentada desde una posición falogocéntrica. Edipo, como eje en el desarrollo tanto del niño como de la niña, arroja sombras significativas sobre la madre y sobre toda otra posibilidad de interpretar dicho desarrollo, a la luz de otros paradigmas alternativos que podrían incluso anular o alterar la línea teleológica trazada por estos esquemas. Una prueba de que estas alternativas son posibles está en el hecho de que Julia Kristeva, como discípula de Lacan, ha reelaborado la díada madre-hijo postulando que, en lo semiótico (lo anterior a la entrada en el orden simbólico), subyace una potencialidad subversiva que reemerge en ciertos discursos poéticos.

La reinscripción de los signos patriarcales en la teoría de

Lacan está, sin embargo, hecha con saña, con una intención que saca roncha, tanto en las ideologías falogocéntricas como en las ideologías feministas, abriendo siempre controversias. En el ya amplio *corpus* de textos comentados en este capítulo, las elaboraciones y fronterizaciones impuestas al signo mujer están siempre procesadas y filtradas por un tamiz retórico-ideológico que se sustenta, ya sea en la teología, en la ciencia o en la filosofía misma, ocultando así las leyes de un juego con cartas marcadas. En este contexto, sólo la ofensiva explicitez de Freud quien designa a la mujer como un ser castrado y envidioso del pene permite vislumbrar aquella armazón patriarcal que la ha condenado a la subordinación. Con una explicitez similar, Lacan enuncia a la mujer como un individuo marginal y turbio que habla en la modalidad de una mascarada, mimo y ventrílocuo que verbaliza y actúa de acuerdo a discursos que no le pertenecen y que han hecho de su cuerpo una topografía poblada de espacios en blanco.

Los trazos del signo mujer, en la teoría de Lacan, son así espadas de doble filo que dejan al descubierto los cuarteles velados del poder patriarcal, no obstante, de manera paradójica o tal vez reafirmativa, el discurso lacaniano fluye desde un rincón de estos mismos cuarteles. "Dios y la *jouissance* de la mujer" de su Seminario XX (1972-1973) es un texto que pone en plena evidencia lo que acabamos de apuntar. Allí Lacan declara: "No existe aquello denominado la mujer, donde el artículo definido denota lo universal No existe la mujer porque en su esencia—para qué pensar dos veces al arriesgar este término—en su esencia ella no es todo. . . Sólo existe la mujer como aquello excluido por la naturaleza de las cosas que es la naturaleza de las palabras, y debemos decir que si hay algo acerca de lo cual ellas mismas se están quejando bastante en estos momentos, es verdaderamente acerca de esto—sólo que no saben lo que están diciendo, hecho que establece toda la diferencia entre ellas y yo". [86]

Trascendiendo la esfera de las diferencias biológicas, Lacan, en esta afirmación, distingue en cada sexo una relación específica con el lenguaje en un orden simbólico en el cual el hombre es el único que tiene derecho a una palabra esculpida y moldeada a su medida. Como los niños, los dementes y los pecadores del pasaje bíblico, la mujer, para Lacan, no sabe lo que dice, concepto que ha sido atacado por un sector del pensamiento feminista actual.[87] Sin embargo, creemos que esta aserción posee una connotación más profunda puesto que alude al hecho de que la mujer, en su posición de alteridad, pronuncia significantes que han sido asimilados como antifaces que ocultan los verdaderos significados patriarcales de las palabras.

Por estas confabulaciones secretas del lenguaje, el artículo definido "la", en los prolíferos discursos acerca de la mujer, es el disfraz engañoso de una entidad, en primera instancia, tachada por el sistema patriarcal el cual reviste al signo subordinado de un ropaje que le adscribe una categoría universalizante para crear la ilusión de que la mujer es un todo. Sin embargo, la cualidad de un todo no debe asignarse, según Lacan, a un ser que ha sido excluido, a ese ente marginalizado que, como hemos intentado demostrar en este capítulo, es elaborado por la imaginación falogocéntrica para darle una función de suplemento o complemento en sus diferentes construcciones culturales. Por otra parte, es precisamente la construcción de la mujer como "un no todo" la que permite al hombre "no ser el no todo", de la misma manera como "tener el falo" únicamente adquiere sentido *vis a vis* "el carecer de un falo".

Estos mecanismos ponen en evidencia, para Lacan, que el hombre tampoco es un todo, pero que, sin embargo, se ha obstinado siempre en la búsqueda de la unidad, ya sea a través de sus mistificaciones acerca del amor o de Dios. Búsqueda condenada al fracaso puesto que Dios es una reificación del Otro inalcanzable y las relaciones amorosas con la mujer, como otro, están siempre mediadas por el deseo de lo Otro, irrevocablemente inaprehensible. El Uno, como figura monumentalizada por la cultura de occidente, es así El Dorado o la Quimera del Oro que los sujetos masculinos buscan infatigablemente y ese Uno es también la estructura ideal en la cual se aspira sistematizar lo por siempre dividido y disperso; razón por la cual, al lado de Dios, estarían las nociones filosóficas del sujeto cartesiano, de la esencia y del ser, además de las diversas sistematizaciones que, en nuestra cultura regida por la economía del cómputo y la unidad, no permiten que el Uno sea dos o tres simultáneamente o que la A de la lógica nunca pueda ser también B o C.

Como en el amor cortés en el cual la mujer es vehículo de trascendencia para un sujeto masculino que aspira a la unidad, en todas las otras construcciones del orden simbólico patriarcal, ella es incluida como el otro subordinado que reafirma y sustenta la autonomía de este sujeto masculino. Sin embargo, Lacan sospecha que sobran cartas en el naipe del término subordinado y no autónomo, que el clítoris tachado como exceso inútil por Sigmund Freud puede ser la señal visible de un algo femenino que está más allá del falo. Retomando la metáfora freudiana del continente negro de la femineidad, Lacan, en "Ideas directivas para un congreso sobre la sexualidad femenina", pregunta cuáles son las vías de la líbido en la mujer e inquiere con respecto a cuál es la naturaleza del orgasmo vaginal sellado, en los discursos acerca de la sexualidad, por una "tiniebla inviolada".[88] No obstante su caracterización prejuiciada del lesbianismo, en lo que a él le parece una adopción de la identidad masculina, también ve la presencia de una contigüidad que estaría subvirtiendo los esquemas falogocéntricos y que podría arrojar nuevas pistas acerca de la sexualidad femenina. Dice:

> Falta sacar la lección de la naturalidad con que semejantes mujeres proclaman su calidad de hombres, para oponerla al estilo de delirio del transexualista masculino.
> Tal vez se descubra por ahí el paso que lleva de la sexualidad femenina al deseo mismo.
> En efecto, lejos de que a ese deseo responda la pasividad del acto, la sexualidad femenina aparece como el es-

fuerzo de un goce envuelto en su propia contigüidad (de la que tal vez toda circuncisión indica la ruptura simbólica) para *realizarse a porfía* del deseo que la castración libera en el hombre dándole su significante en el falo. (p. 300)

Es evidente que Lacan desea levantar la barra que tacha a "la mujer", como territorio silenciado y fronterizado por el poder patriarcal. A pesar de estas "buenas intenciones", llama la atención el hecho de que fije su mirada en una mujer frígida, en una imagen esculpida en piedra, la de Santa Teresa en la ciudad de Roma. La expresión de la santa en esta estatua es, para Lacan, un indicio de un tipo de *jouissance* que está fuera del falo, lo que lo hace decir: "Sólo hay que ir y ver la estatua de Bernini en Roma para comprender inmediatamente que ella se está viniendo, no hay duda acerca de esto. Y ¿cuál es la *jouissance* desde donde se está viniendo? Es claro que el testimonio esencial de los místicos es que ellos están experimentando una *jouissance* de la cual no saben nada". (p. 147)

Gozar y no saber nada de ese goce, hace de la experiencia mística una figura homónima a la experiencia sexual de la mujer, afirma Lacan: "Hay una *jouissance* propia de ella, de este ella que no existe y no significa nada. Hay una *jouissance* propia de ella y de la cual ella puede no saber nada, excepto que la experimenta—eso es todo lo que ella sabe. Ella lo sabe, por supuesto, cuando le pasa. Y no le pasa a todas ellas". (p. 145) Tras este tono críptico y misterioso que evoca las mistificaciones surrealistas acerca de la mujer, Lacan está postulando que el regocijo sexual ocurre en la mujer, sin que ella nada sepa de él porque dicha experiencia está fuera de las articulaciones del lenguaje. Este concepto alude al hecho de que los discursos de la sexualidad se han construido a base de la experiencia masculina que ha dejado en blanco las vivencias específicamente femeninas del placer sexual. En este sentido, Lacan apunta hacia las omisiones creadas por el poder falogocéntrico, abriendo una caja de Pandora que el feminismo contemporáneo se ha encargado de explorar para demostrar que, bajo las especulaciones masculinas acerca del "placer vaginal", existe una sexualidad femenina autónoma y *sui generis*. No obstante, en Jacques Lacan hay una insistencia en el carácter inefable de esta *jouissance* más allá del falo, implicando, de esta manera, que no se puede conocer y, en consecuencia, por pertenecer a lo inconocible, este goce debe permanecer como margen y exceso, sin ninguna posibilidad de ser legitimizado.[89]

A Lacan le parece más que suficiente afirmar que se trata de un placer no-fálico, categorización a través de la cual simplemente inserta una ficha muerta en el archivero del conocimiento falogocéntrico. Aunque "se está viniendo", la estatua de Santa Teresa nada puede decirle en su mudez helada. Y Lacan que rehusaba escuchar a los grupos feministas que eran sus coetáneos, prefiriendo hacer mofa de ellos, se contenta aseverando que nada más hay que decir porque la santa y todas las mujeres no saben decir. "Arguyo que la mujer no sabe nada de esta *jouissance* porque, desde el primer momento en que les hemos rogado de rodillas que traten de explicarnos, no hemos logrado sacarles ni una sola palabra" (p. 146), declara en "Dios y la *jouissance* de la mujer". Afirmación que podría tener como contrapartida las palabras de Santa Teresa en "Vivo sin vivir en mí. . .". Allí, ella sabe muy bien lo que dice y por qué lo dice, al poetizar su amor a Dios desde una posición de Sujeto que transgrede las jerarquizaciones de lo divino. No desde la estatua hecha por un hombre sino a través de su propia escritura, nos dice: "Aquesta divina unión,/ del amor con que yo vivo,/hace a Dios ser mi cautivo,/ y libre mi corazón;/ mas causa en mí tal pasión/ ver a Dios mi prisionero,/ que muero porque no muero".

Considerando que, en el caso de Santa Teresa, por lo menos, Lacan podría haber satisfecho su curiosidad, se redobla la sospecha de que, en su teoría, se da un desfase serio entre la entidad concreta de sus análisis y el discurso que, a modo del amor cortés, canta y se encanta consigo mismo. En este sentido, la frigidez de la mujer en el discurso sicoanalítico, podría servir como metáfora de este desfase. Catalogado como problema, el fenómeno de la frigidez ha sido ampliamente discutido por los sicoanalistas quienes se obstinan en ignorar que, de acuerdo a los estudios de la sexología contemporánea, no existen las mujeres frígidas, sino sólo los hombres deficientes.

Las deficiencias de Jacques Lacan se opacan un tanto, sin embargo, en el contexto de sus postulaciones que han resultado útiles para la teoría feminista. El signo mujer que se perfila en sus escritos abre, sin duda, nuevas vías para el develamiento de las estrategias y procesos simbólicos de la estructura patriarcal. Vías turbias, por supuesto, ya que su discurso deja entrever estos otros umbrales, a pesar de estar anclado en las aguas del falogocentrismo.

Como en el caso de todos los otros discursos acerca de la mujer que hemos comentado en este capítulo, las diversas perspectivas falogocéntricas dentro de la dinámica del devenir histórico, mantienen una singularidad que nos parece preciso comentar. En las construcciones imaginarias que asumen la forma del signo mujer, se puede detectar un atavío que, de manera persistente, tiende a ocultar, a modo de antifaz, la situación de la mujer dentro de una contingencia histórica. Tanto las vestiduras idealizantes como los trazos misóginos extraen a la mujer de su circunstancia específica, en un proceso de abstracción, que la despoja de toda capacidad para realizar una praxis de carácter histórico. Es más, a pesar de que estos discursos se producen en diferentes hitos de los movimientos feministas, en ellos se da la voluntad de ignorarlos, arrojando, de este modo, una trinchera que mantiene los territorios falogocéntricos separados de las diversas ideologías que van emergiendo para exigir que la mujer obtenga sus derechos.

En el caso de Lacan, tras la Ley del Padre con sus ecos bíblicos de autoridad, subyace esta sordera, tanto hacia las voces feministas que empezaron a elevarse con un nuevo impulso a partir de 1968, como hacia la especificidad histórica de la situación de la mujer. En un discurso que oscurece la dinámica particular de las relaciones de dominio en una estructura de carácter patriarcal,[90] "lo cultural" deviene en una categoría abstracta, del mismo modo como los procesos síquicos de identificación implícitamente postulan una generalización despojada de problematizaciones. No obstante los cuestionamientos de Jacques Derrida a Lacan, es obvio, para una óptica de carácter feminista, que ambos se desplazan por un tinglado en el cual persisten las parcelaciones y la parcialidad de una perspectiva falocrática afincada en la élite de los centros culturales europeos. En estos espacios hegemónicos, la mujer es la figura de una alteridad en blanco, exenta de raza y clase social, fuera de toda posibilidad de modificar el devenir histórico. Su valor transgresivo, ubicado en el ámbito de "lo indecidible" y "lo indecible", se pierde, así, como el canto de las sirenas que embellecen y dan toques de magia a un flujo discursivo aún homérico, en el sentido de que se mantiene dentro de una cultura oficial producida, en su mayor parte, por hombres europeos canónicos y canonizantes.

La asimetría obvia en las relaciones establecidas entre la teoría feminista, la teoría lacaniana y los recientes discursos de la posmodernidad parecen duplicar la imagen del héroe griego que se tapa los oídos con cera. En la ladera feminista, Lacan ha encontrado una resonancia, por ejemplo, en los escritos de Luce Irigaray, Jane Gallop y Judith Butler. También se han producido importantes apropiaciones y adecuaciones, tanto de los análisis de Michel Foucault quien no tomó en cuenta el factor genérico-sexual como de las estrategias de la deconstrucción. En la otra ribera perdura, sin embargo, la indiferencia hacia lo que Lyotard y Derrida catalogan como reduccionismo.

La relevancia atribuida, en estos últimos años, a los discursos teóricos de la posmodernidad empiezan a crear sospechas en un sector de la ideología feminista contemporánea. Así, Nancy Hartsock ha cuestionado el hecho de que, justo en un momento histórico en el cual se está produciendo la redefinición de una pluralidad de Otros subordinados, haya surgido el intento de socavar toda noción de Sujeto. De manera acertada, se pregunta:

¿Por qué el concepto de Sujeto empieza a hacerse problemático, justo en el momento en que tantos de nosotros que hemos sido silenciados, empezamos a exigir el derecho a nombrarnos, a actuar como Sujetos y no como Objetos de la historia? Justo cuando comenzamos a crear nuestras propias teorías acerca del mundo, emerge la incertidumbre con respecto a si el mundo puede ser teorizado. Justo cuando empezamos a hablar de los cambios que podrían implementarse, las ideas de progreso y evolución, y la posibilidad de organizar la sociedad de manera racional y sistemática se transforma en algo dudoso y sospechoso. ¿Por qué sólo ahora se empiezan a hacer críticas a la voluntad de poder inherente en el esfuerzo de crear teorías?[91]

En el entrecruce complejo de los discursos de la posmodernidad y los discursos feministas, es posible que se hayan invertido los términos y que las elaboraciones feministas del signo mujer, no sean simplemente contratextos de las diversas historias que configuran la metanarrativa patriarcal analizada en este capítulo. Es posible que las intenciones de anular aquellas categorías que conducen a una praxis política no estén sólo dirigidas a minar los ejes de la modernidad. Estos discursos, como señala Nancy Hartsock, bien podrían ser el contratexto elaborado por una élite falocrática que se está tratando de reafirmar en el escepticismo para deslegitimizar y excluir, tanto los discursos feministas como cualquier otro tipo de aserción hecha por los sectores de las minorías.

Notas

[1]Para un completo y bien documentado estudio de estas transformaciones, se puede consultar el libro de Gerda Lerner titulado *The Creation of Patriarchy* (New York: Oxford University Press, 1986).

[2]John A. Phillips. *Eva: La historia de una idea*. México: Fondo de Cultura Económica, 1988, p. 32.

[3]Rosemary Radford Ruether acertamente afirma: "Mientras en los

mitos antiguos se concebía a los dioses y a las diosas dentro de la matriz de una realidad física-espiritual, el monoteísmo masculino empieza a dividir la realidad en un dualismo entre el Espíritu trascendente (mente, ego) y una naturaleza física inferior y dependiente". (Consultar su libro titulado *Sexism and God-Talk: Toward a Feminist Theology*, Boston: Beacon Press,1983, p. 54).

[4]En nuestro análisis, nos estamos refiriendo al segundo relato del Génesis, en el primero, la creación del hombre incluye genéricamente a hombre y mujer ("Creó Dios al hombre a imagen suya; a imagen de Dios le creó, los creó varón y hembra" Génesis l, 27). Esta mujer hecha de lodo igual que Adán correspondería a la figura de Lilith quien, según la tradición, abandonó a Adán por no querer obedecerle.

[5]Para un valioso análisis de estas postulaciones teológicas, consultar el libro de Kari Borresen titulado *Subordination and Equivalence: The Nature and Role of Women in Augustine and Thomas Aquinas*, Washington D.C.: University Press of America, 1968). Además, Prudence Allen ofrece un detallado análisis de los antecedentes filosóficos en el pensamiento de San Agustín y Santo Tomás de Aquino en su libro *The Concept of Woman: The Aristotelian Revolution 750 B.C.-AD 1250* (Montreal: Eden Press, 1985).

[6]En "La mujer: Una probabilidad en el orden masculino", ensayo en nuestra opinión señero para los estudios teóricos feministas, José Lorite Mena afirma: "La violencia totalizante del sujeto sólo se puede realizar eliminando otros espacios de posibilidad de realización de nuestra especie. El poder de exclusión de otros sujetos del proceso de elaboración de la *naturalidad* humana no sólo significa la eliminación del espacio en el cual puedan realizarse, sino también, y más profundamente, la negación de su capacidad para constituirse como sujetos para elaborar su ámbito de probabilidad vital. La historia de nuestra especie está construida sobre estas dos líneas paralelas de acción: la violencia totalizante del sujeto y la violencia excluyente de otros sujetos. Una relación binaria cuyos ejes se implican mutuamente. Ya que la violencia totalizante arras tra necesariamente la violencia excluyente". (*Texto y contexto* [enero-abril 1986], p. 48).

[7]Roland Barthes. *Mythologies*. Londres: Paladin, 1973.

[8]Para un documentado recuento de los cánones de concilio y bulas papales entre los siglos XIII y XVII, se puede consultar, por ejemplo, el libro de Julio Caro Baroja titulado *Las brujas y su mundo* (Madrid: Alianza Editorial, 1966).

[9]J. Sprenger y H. Kramer. *El martillo de las brujas* (Versión castellana del *Malleus Maleficarum*). Madrid: Ediciones Felmar, 1976, p. 101.

[10]Ruth Behar. "Sexual Witchcraft, Colonialism, and Women's Powers: Views from the Mexican Inquisition", *Sexuality and Marriage in Colonial Latin America* editado por Asunción Lavrín. (Lincoln: University of Nebraska Press, 1989).

[11]Consultar interesante análisis de James A. Brundage en su estudio titulado "Prostitution in the Medieval Canon Law" (*Signs*, vol. 1, No 4 [verano 1976], pp. 825-845).

[12]Sprenger y Kramer, Op. Cit., pp. 106-107.

[13]Marina Warner. *Alone of All Her Sex: The Myth and the Cult of the Virgin Mary*. New York: Alfred A. Knopf, 1976. Basándose en un completa investigación de documentos y representaciones pictóricas y literarias de cada época, Marina Warner ha escrito, en nuestra opinión, uno de los libros más valiosos con respecto a la Virgen María.

[14]Julia Kristeva. *Historias de amor*. México: Siglo XXI Editores, 1987, pp. 247-260.

[15]Penélope Rodríguez Sehk. "La virgen-madre: Símbolo de la feminedad latinoamericana". *Texto y Contexto* [enero-abril 1986], p. 80.

[16]Citado por Marina Warner, Op. Cit., pp. 41-42.

[17]Julia Kristeva. "Herética del amor", *Escandalar*, vol. 6, Nos 1-2 [enero-junio 1983], p. 75.

[18]Juan Luis Vives. *Instrucción de la mujer cristiana*. Buenos Aires: Espasa-Calpe Argentina S.A., 1940, p. 44.

[19]Fray Luis de León. *La perfecta casada*. Barcelona: Montaner y Simón Editores, 1898, p. 36.

[20]*Novelas ejemplares y amorosas de doña María de Zayas y Sotomayor*. Colección de los Mejores Autores Españoles. París: Baudry, Librería Europea, tomo XXXV, 1847, p. 402.

[21]Ludwig Pfandl. *Historia de la literatura nacional española en la Edad de Oro*. Barcelona: Sucesores de Juan Gili, 1933, p. 369.

[22]Para un análisis de este concepto se puede consultar el libro de Ian Maclean titulado *The Renaissance Notion of Woman: A Study in the Fortunes of Scholasticism and Medical Science in European Intellectual Life*. New York: Cambridge University Press, 1980, pp. 6-28.

[23]Para una discusión más amplia del concepto de la subyugación masculina de la Naturaleza en el pensamiento de Francis Bacon, se puede consultar el estudio de Genevieve Lloyd titulado *The Man of Reason: "Male" and "Female" in Western Philosophy*. Minneapolis: University of Minnesota Press, 1984.

[24]J. Blom. *Descartes: His Moral Philosophy and Psychology*. Hassocks: Harvester Press, 1978, p. 11. La traducción es mía.

[25]Susan Bordo. "The Cartesian Masculinization of Thought". *Signs*, vol. II, No 3 [primavera 1986], pp. 439-456.

[26]Para un amplio y excelente análisis de estas divergencias en el pensamiento de Jean-Jacques Rousseau, se puede consultar el estudio de Paul Hoffmann titulado *La femme dans la pensée des lumières* (París: Editions Ophrys, 1977, pp. 359-446).

[27]Jean-Jacques Rousseau afirma. "Por ley de la Naturaleza, las mujeres dependen del juicio de los hombres, tanto por el bien de ellas mismas como por el bien de sus hijos. No es suficiente que ellas sean esti-

mables, deben ser también estimadas. No es suficiente que sean lindas, deben también saber agradar. Su honor no sólo descansa en su conducta sino además en su reputación y no es posible que una mujer que consienta ser vista como sin reputación pueda alguna vez ser decente. Cuando un hombre actúa bien, él depende únicamente de sí mismo y puede desafiar el juicio público, pero cuando una mujer actúa de manera correcta, ella ha cumplido sólo con la mitad de su misión puesto que lo que se piensa de ella no es menos importante que lo que ella realmente es". (*Emile or On Education*. New York: Basic Books, Inc. Publishers, 1979, p. 365). La traducción es mía.

[28]Elinor C. Burkett. "In Dubious Sisterhood: Class and Sex in Spanish Colonial South America", *Women in Latin America: An Anthology from Latin American Perspectives*, Riverside: Latin American Perspectives, 1979, pp. 17-25.

[29]Augusto Comte. *General View of Positivism* compilado por J.H. Bridges. Stanford: University of Stanford Press, s/f, pp. 287-288. La traducción es mía.

[30]Para un excelente análisis de los fundamentos ideológicos que sustentan esta imagen en la sociedad hispánica, se puede consultar el ensayo de Bridget Aladaraca titulado "El ángel del hogar: The Cult of Domesticity in Nineteenth Century Spain". (*Theory and Practice of Feminist Literary Criticism* editado por Gabriela Mora y Karen S. Van Hooft. Michigan: Bilingual Press/Editorial Bilingüe, 1982, pp. 62-87).

[31]Juan Enrique Lagarrigue. *Carta sobre la religión de la Humanidad*. Santiago, Chile: Imprenta Cervantes, 1892, p. 32.

[32]Para valiosos estudios acerca de la representación del cuerpo humano y sus relaciones con el contexto histórico y cultural, se puede consultar *The Making of the Modern Body* editado por Kathryn Gallagher y Tom Laqueur (Los Angeles: University of California Press, 1987).

[33]Este fenómeno es analizado en detalle por Cynthia Jeffress Little en su artículo titulado "Education, philanthropy, and feminism: Components of Argentine Womanhood". (*Latin American Women: Historical Perspectives* editado por Asunción Lavrín. Westport, Connecticut: Greenwood Press, 1978, pp. 235-251).

[34]Citado por Julio César Jobet en su libro *Doctrina y praxis de los educadores representativos chilenos*. (Santiago, Chile: Editorial Andrés Bello, 1970, p. 288).

[35]Lagarrigue. Op. Cit., p. 28.

[36]Eugenio María de Hostos. *Páginas escogidas*. Buenos Aires: Angel Estrada y Cía, S.A., 1968, p. 84.

[37]Bram Dijkstra realiza un valiosísimo estudio de las relaciones entre ideología y las representaciones imaginarias de lo femenino en su libro titulado *Idols of Perversity: Fantasies of Feminine Evil in Fin-de-Siècle Culture*. (Oxford: Oxford University Press, 1986).

[38]Este ensayo está incluido en la antología titulada *Sexuality and the*

Psychology of Love editada por Philip Rieff. (New York: Macmillan Publishing Co., Inc., 1963, pp. 212-213). La traducción es mía.

[39]Ibid., pp. 158-159.

[40]Sigmund Freud. *Introducción al narcisismo y otros ensayos.* Madrid: Alianza Editorial, 1973, p. 79.

[41]*Sexuality and the Psychology of Love.* Op. Cit., p. 180.

[42]*Introducción al narcisismo y otros ensayos.* Op. Cit., p.73.

[43]Ibid., p. 71.

[44]Ibid., p. 72.

[45]*Sexuality and the Psychology of Love.* Op. Cit., p. 175.

[46]De este modo afirma: "La diferencia entre ambas—'la organización genital infantil' y la organización genital del adulto—posee al mismo tiempo la característica principal de la forma infantil, es decir, que para ambos sexos en la niñez únicamente un tipo de órgano genital posee importancia—el masculino. Por consiguiente, la primacía alcanzada no es la primacía de lo genital sino del falo". Ibid., p. 172. La traducción es mía.

[47]*Introducción al narcisismo y otros ensayos.* Op. Cit., p. 78.

[48]Ibid., p. 79.

[49]Sigmund Freud. "El malestar de la cultura" en edición de Néstor A. Braunstein bajo el título *A medio siglo del malestar en la cultura.* (México: Siglo XXI Editores, 1981, pp. 67-68).

[50]Así, por ejemplo, Eva Figes ataca esta aseveración afirmando: "Lo realmente extraordinario de ese texto es la oposición de Freud a poner en duda el *status quo.* Se da cuenta de que una situación en la que el hombre trabaja y la mujer se queda en casa es conflictiva, pero no se esfuerza por reflexionar sobre la posibilidad de una estructura social alternativa". (*Actitudes patriarcales: Las mujeres en la sociedad.* Madrid: Alianza Editorial, 1972, p. 147).

[51]Al respecto, José Lorite Mena correctamente afirma: "Y no obstante el deseo de la mujer que aflora (o podría aflorar) en su sexualidad es, simplemente—tan simple como la condición humana entre la creatividad y el error—, el deseo de *otros posibles.* No necesariamente "deseo de otro". Y son estos posibles los que el hombre niega, porque escapan a su saber, y consiguientemente, a su poder". (*El orden femenino: Origen de un simulacro cultural.* Barcelona: Anthropos Editorial del Hombre, 1987, p. 103).

[52]Ernest Jones. *The Life and Work of Sigmund Freud.* New York: Basic Books, vol. I, 1953, p. 377.

[53]Annis V. Pratt. "Spinning Among Fields: Jung, Frye, Lévi-Strauss and Feminist Archetypal Theory", *Feminist Archetypal Theory: Interdisciplinary Re-Visions of Jungian Thought* editado por Estella Lauter y Carol Schreier Rupprecht. (Knoxville: The University of Tennessee Press, 1985, pp. 93-136).

[54]Ernesto Sábato. *Heterodoxia.* Buenos Aires: Emecé Editores, 1953, p. 12.

[55]André Breton. *Manifiestos del Surrealismo*. Madrid: Ediciones Guadarrama, 1969, p. 162.

[56]André Breton. *Arcane 17*. París: Jean-Jacques Pauvert, 1971, pp. 66-67. La traducción es mía.

[57]Para un estudio muy completo de este aspecto, se puede consultar, por ejemplo, el libro de Whitney Chadwick titulado *Women Artists and the Surrealist Movement* (Boston: Little, Brown, and Company, 1985) y el estudio de Susan Rubin Suleiman *Subversive Intent: Gender, Politics, and the Avant-Garde* (Cambridge: Harvard University Press, 1990).

[58]Para una visión panorámica de la posición de rechazo de Jean-Paul Sartre con respecto a los fundamentos ideológicos de Breton y sus seguidores, se puede consultar *Sartre and Surrealism* de William Plank. (Michigan: UMI Research Press, 1981).

[59]Hélène Nahas hace un excelente análisis de este aspecto estableciendo relaciones significativas con los textos literarios de Jean-Paul Sartre en su libro *La femme dans la littérature existentielle* (París: Presses Universitaires de France, 1957).

[60]En dicha entrevista, al preguntarle Simone de Beauvoir por qué había ignorado que las mujeres eran víctimas de la opresión, Sartre respondió: "Nunca tuve conciencia de que era un fenómeno generalizado. Yo sólo veía casos particulares que, por supuesto, eran muchos. Pero siempre los atribuía a la falla individual de un hombre que tendía a ser dominante o a la característica personal de una mujer que era sumisa". (Jean-Paul Sartre. "Simone de Beauvoir Interviews Sartre", *Life/Situations: Essays Written and Spoken*. Nueva York: Pantheon Books, 1977, p. 94). La traducción es mía.

[61]Margery Collins y Cristine Pierce. "Holes and Slime: Sexism in Sartre's Psychoanalysis", *Women and Philosophy: Toward a Theory of Liberation*. Nueva York: G. P. Putnam's Sons, 1976.

[62]Octavio Paz. *El arco y la lira. El poema. La revelación poética. Poesía e historia*. México: Fondo de Cultura Económica, 1973, p. 181.

[63]Richard J. Callan. "Some Parallels Between Octavio Paz and Carl Jung", *Hispania*, 60 (1977), pp. 916-926.

[64]Octavio Paz. *El laberinto de la soledad*. México: Fondo de Cultura Económica, 1987, p. 9.

[65]Nos parece que hasta ahora no se le ha dado suficiente énfasis a este aspecto de las postulaciones de Octavio Paz que concuerdan con la posición ideológica de Simone de Beauvoir a quien específicamente cita afirmando: "Medio para obtener el conocimiento y el placer, vía para alcanzar la supervivencia, la mujer es ídolo, diosa, madre, hechicera o musa, según muestra Simone de Beauvoir, pero jamás puede ser ella misma". Ibid., p. 177.

[66]Es interesante observar que la figura histórica de la Malinche, en su calidad de paradigma cultural básico, constituye un signo polisémico cuyos significados han variado notablemente de acuerdo al momen-

to histórico y la ideología de los productores de cultura en México. La descripción de Bernal Díaz del Castillo y otros autores de la Colonia dieron especial énfasis a las cualidades positivas de doña Marina, como una de las forjadoras del éxito del proyecto de la conquista española. Por el contrario, la perspectiva negativa de Octavio Paz se inserta dentro del contexto republicano de la década de los cuarenta que aspiraba al afianzamiento de la nación mexicana. Con respecto a la imagen de la Malinche en la literatura de la Colonia, se puede consultar el libro de Julie Greer Johnson titulado *Women in Colonial Spanish American Literature: Literary Images* (Westport, Connecticut: Greenwood Press, 1983). Por otra parte, Sandra Messinger Cypess hace un exhaustivo estudio de esta figura a través de toda la producción literaria mexicana en su libro *La Malinche in Mexican Literature: From History to Myth* (Austin: University of Texas Press, 1991).

[67]Jürgen Habermas. *El discurso filosófico de la modernidad*. Buenos Aires: Taurus, 1989.

[68]Friedrich Nietzsche. *Ecce Homo*. Nueva York: Random House, 1967, p. 265. La traducción es mía.

[69]Helmuth Walther Bran demuestra fehacientemente este aspecto en su libro *Nietzsche und die Frauen* (Leipzig: Meiner, 1931).

[70]Friedrich Nietzsche. *Más allá del bien y del mal*. Madrid: Alianza Editorial, 1972, p. 181.

[71]Para un amplio análisis de este aspecto, se puede consultar el libro de Jean Graybeal titulado *Language and "the Feminine" in Nietzsche and Heidegger* (Bloomington: Indiana University Press, 1990).

[72]Friedrich Nietzsche. *Así hablaba Zaratustra*. Madrid: Biblioteca EDAF, 1985, p. 87.

[73]Friedrich Nietzsche. *The Gay Science*. Nueva York: Vintage Books, 1974, p. 38. La traducción es mía.

[74]Jacques Derrida. *Spurs: Nietzsche's Styles*. Chicago: The University of Chicago Press, 1978, p. 127.

[75]Alice A. Jardine comenta acerca de este aspecto en el capítulo "The Hysterical Text's Organs: Angles on Jacques Derrida" en su interesante libro titulado *Gynesis: Configurations of Woman and Modernity* (Ithaca: Cornell University Press, 1985, pp. 178-207).

[76]Jacques Derrida. *Dissemination*. Chicago: University of Chicago Press, 1981, p. 43.

[77]"Women in the Beehive: A Seminar with Jacques Derrida", *Men in Feminism* editado por Alice A. Jardine y Paul Smith. (Nueva York: Methuen, 1987, pp. 194-195).

[78]Para un análisis de las represiones y restricciones que ha impuesto nuestra cultura sobre la categoría "hombre-mujer" y los contradiscursos que se están produciendo actualmente, se puede consultar el libro de Judith Butler titulado *Gender Trouble: Feminism and the Subversion of Identity*. (Nueva York: Routledge, 1990).

[79]Jacques Derrida, *Dissemination*, Op. Cit., p. 212.

[80]Para un excelente cuestionamiento desde una perspectiva feminista de las omisiones de Derrida, consultar el ensayo de Leslie Wahl Rabine titulado "The Unhappy Hymen between Feminism and Deconstruction" (*The Other Perspective in Gender and Culture: Rewriting Women and the Symbolic* editado por Juliet Flower MacCannell. Nueva York: Columbia University Press, 1990, pp. 20-38)

[81]Como ha señalado Gayatri Spivak, el matrimonio en "La doble sesión" es una figura no cuestionada de la identificación. Ver su ensayo "Displacement and the Discourse of Woman" en *Displacement: Derrida and After* editado por Mark Krupnik. Bloomington: Indiana Univrsity Press, 1983, p. 174.

[82]Teresa de Lauretis. *Technologies of Gender: Essays on Theory, Film, and Fiction*. Bloomington: University of Indiana Press, 1987, p. 24.

[83]Nancy K. Miller, "Arachnologies: The Woman, The Text, The Critic" en su libro titulado *The Poetics of Gender* . Nueva York: Columbia University Press, 1986, p. 271.

[84]Jacques Lacan. *Escritos*, vol. I. México: Siglo Veintiuno Editores, 1971, p. 286.

[85]La astronomía contemporánea ha descubierto que los cuerpos celestes giran y se sostienen en lo que se ha denominado como la materia en penumbra; el énfasis sistemáticamente dado a lo visible, privó a esta materia de toda importancia hasta hace muy pocos años.

[86]Jacques Lacan. "God and the Jouissance of the Woman" incluido en *Feminine Sexuality: Jacques Lacan and the école freudienne* editado por Juliet Mitchell y Jacqueline Rose. Nueva York: W.W. Norton & Company, 1982, p. 138. La traducción es mía.

[87]Consultar, por ejemplo, la crítica de Alice Jardine en el capítulo "Toward the Hysterical Body: Jacques Lacan and His Others", de su libro *Gynesis* ya citado (pp. 159-177).

[88]Jacques Lacan. *Escritos*. Op. Cit., p. 292.

[89]Para una discusión más amplia de este aspecto en la teoría de Lacan, consultar el capítulo "Sexual Relations" en el libro de Elizabeth Grosz titulado *Jacques Lacan: A Feminist Introduction* (Nueva York: Routledge, 1990, pp. 115-146).

[90]Jane Flax. *Thinking Fragments: Psychoanalysis, Feminism, and Posmodernism in the Contemporary West*. Los Angeles: University of California Press, 1990.

[91]Nancy Hartsock. "Foucault on Power: A Theory for Women?", *Feminism/Postmodernism* editado por Linda J. Nicholson. Nueva York: Routledge, 1990, pp. 163-164.

EN EL FLUJO HETEROGENEO DE LA LIBERACION

Emboscadas de la igualdad

¿Por qué, vanos legisladores del mundo, atáis nuestras manos para la venganza, imposibilitando nuestras fuerzas con vuestras falsas opiniones, pues nos negáis letras y armas?

María de Zayas y Sotomayor
(1590-¿1661?)

Desde el espacio marginal adscrito a la mujer, María de Zayas y Sotomayor denuncia el hecho de que la legislación de la sociedad y la legitimización de todos los sistemas impuestos ha estado en manos de los hombres. Injusta asimetría que, para su perspectiva feminista, adopta la forma simbólica de una sustitución: las espadas son reemplazadas por ruecas y a los libros se los sustituye con almohadillas para las agujas. Consciente de una dinámica esencial impuesta por la falocracia de su tiempo, la escritora española califica las letras y las armas como los signos de lo vedado, como aquellos objetos tangibles de una restricción en el rol biológico de la maternidad que hace de la mujer, un útero regulado por la honra y el pudor mientras el hombre se asigna a sí mismo la Historia, convirtiéndose en dueño del Poder y la Imaginación.

La voz de María de Zayas y Sotomayor, tan teñida de ira y deseo de venganza, pone de manifiesto la relevancia de la desigualdad que merecerá el repudio de los movimientos feministas los cuales empiezan a tomar una forma organizada y colectiva a principios del siglo XIX. Abolir dicha desigualdad resulta ser el eje o ideologema básico que da cohesión a estos movimientos, insertos en las ideologías más amplias del liberalismo y el socialismo. Ante la contingencia de una lucha política en aras de la igualdad, estos movimientos se encauzaron, principalmente, hacia la adquisición de derechos civiles que permitieran a la mujer el acceso a la educación, al voto y a condiciones equitativas de trabajo. La obtención de la igualdad fue, hasta mediados del siglo XX, un horizonte que propició importantes conquistas en el devenir histórico. Sin embargo, es interesante observar que este horizonte configuró, además, la utopía de que, una vez que la mujer se incorporara activamente en la sociedad, ésta adquiriría una carácter justo y simétrico. La participación de la mujer en la producción económica y las diversas áreas de la cultura implicaba, en el fondo, una toma de poder que no cuestionaba el concepto mismo como construcción patriarcal. De allí que la conquista de derechos fuera también una concesión de dicho poder el cual no experimentó cambios radicales. Así, a pesar de que la mujer latinoamericana ha tenido derecho a voto por más de treinta años, aún hoy persiste una organización política basada en las estructuras decimonónicas y menos de un tres por ciento participa activamente en las cámaras legislativas.

Dentro de este contexto, no llama la atención el hecho de que, en los diferentes discursos feministas, prevalezcan rasgos del signo mujer elaborados en la metanarrativa patriarcal que analizáramos en el capítulo anterior. Este gesto aprobatorio de una identidad adscrita posee, sin embargo, las características de una reapropiación que sirve a los fines de dichas ideologías. Así, se utilizan algunas de las mismas letras ya inscritas por el patriarcado liberal, pero eligiendo aquellas que arrojan una luz positiva, razón por la cual los argumentos que exaltaban las virtudes femeninas para justificar su dedicación absoluta a las labores maternales, se convirtieron en armas para defender la posición de que la mujer debía tener acceso a la educación.

Por lo tanto, no es de extrañar que Mercedes Cabello de Carbonera en su artículo "Influencia de la mujer en la civilización", publicado en Lima en 1874, hiciera eco de las palabras de Rousseau con respecto al apoyo moral que brindaba el sexo femenino al hombre. Pero, exacerbando las virtudes atribuidas por el pensador francés, Cabello de Carbonera le asigna a la mujer un rol indispensable para el progreso de la sociedad al afirmar: "Que los sábios, los moralistas, los filósofos escriban libros, que los lejisladores dicten leyes que castiguen el vicio y la inmoralidad, que los unos impongan la virtud como un deber, y castiguen el vicio como un crimen; muy poco alcanzarán si la mujer, relegada al olvido, y estraña á las ciencias que enseñan á conocer las leyes que rigen el movimiento social, no ha podido nombrar el gérmen de la virtud en el corazón del hombre, enseñándole a amar desde su infancia el honor, el saber y la patria".[1] Desviando un tanto las fichas de Rousseau, la mujer en el discurso de la escritora peruana, deja de ser el refugio espiritual para el hombre dedicado a sus labores trascendentales y la dulce figura complementaria de Sophie se convierte en factor esencial del progreso. Concepto que le permite afirmar: "Educad á la mujer, ilustrad su inteligencia, y tendréis en ella un motor poderoso y universal, para el progreso y civilización del mundo; y una columna fuerte é inamovible en qué cimentar la moral y las virtudes de las generaciones venideras". (p. 90)

Aparte de esta reapropiación del signo patriarcal, se da, además, la intención de demostrar, de la manera más científica y masculina posible, que la capacidad intelectual de la mujer es similar a la del hombre. Objetivo de la igualdad que requería, en primera instancia, rescatar figuras femeninas de la Biblia y la Historia Antigua como recurso para convencer a los hombres en su propio terreno—el de una cultura producida casi exclusivamente por ellos. Estos discursos no sólo se nutrieron, en sus argumentaciones, de un acervo oficial sino que también se organizaron imitando la forma favorecida del ensayo positivista delineado por una hipótesis, un desarrollo prolífero en ejemplos demostrativos y una siempre previsible conclusión.

Es, desde este terreno discursivo, que Gertrudis Gómez de Avellaneda, consciente de las constantes devaluaciones impuestas a la mujer, se propone hacer una revaloración en sus artículos publicados originalmente en el *Album cubano de lo bueno y lo bello* del año 1860. Utilizando fuentes bíblicas y datos de la versión oficial de la Historia, la autora intenta demostrar la superioridad de la mujer con respecto al sentimiento y a las cualidades de su carácter que le han permitido demostrar valor y heroísmo; arguye asimismo que, no obstante los escollos impuestos a su educación, la mujer es apta para el gobierno y la administración de los intereses públicos y posee, a pesar de los prejuicios masculinos, una capacidad para el cultivo de las ciencias, el arte y la literatura. La estrategia de Gómez de Avellaneda es utilizar la autoridad masculina para legitimizar su propio discurso haciendo de sus argumentos una verdad irrefutable, como se observa, por ejemplo, en su siguiente aserción: "Leed las sagradas páginas del Evangelio y en ellas hallaréis toda la historia de la *mujer*, y por ellas comprenderéis cuán noble, cuán bello, cuán augusto es el papel que le ha tocado representar en la historia de la humanidad".[2] Con recursos similares, Soledad Acosta de Samper elabora su conferencia "Aptitud de la mujer para ejercer todas las profesiones" (1892) y su libro *La mujer en la sociedad moderna* (1895), texto en el cual se refiere a figuras femeninas ejemplares.

No obstante los diferentes cambios producidos por el acceso a la educación, el trabajo y la política, hasta mediados del siglo XX, perduró esta compleja asimilación de los paradigmas patriarcales. En un momento histórico en el cual aún no se concebía la posibilidad de modos alternativos y se trataba de demostrar que las mujeres poseían capacidades intelectuales similares a las de los hombres, la incorporación en los discursos de una metodología y una retórica masculinas constituía una estrategia importante.

Pero, más allá de toda estrategia, es importante señalar que, dentro de las ideologías feministas, existía una fiel creencia en los rasgos identitarios atribuidos por el patriarcado de la época a la mujer. Tanto las feministas de ideología liberal como aquellas que compartían los principios del socialismo y el anarquismo, lejos de cuestionar los aspectos de esta identidad adscrita, se aferraron a ellos, reforzando así los estereotipos de "lo femenino". La creencia en su superioridad moral, diseminada en los escritos de

Rousseau y Comte, dio origen a la argumentación de que la mujer, como compañera del hombre en sus funciones públicas, podría erradicar los vicios y contribuir a la creación de una sociedad más justa. Concepto que ya había sido elaborado en el siglo XIX por feministas tales como Lola Rodríguez de Tió quien, en su ensayo "La influencia de la mujer en la civilización", calificaba dicha influencia como "medio poderoso de regeneración en el orden social y político", como "la consoladora esperanza (y) la dulce promesa del bien universal".[3] Por otra parte, su sensibilidad, delicadeza y espíritu de sacrificio, cualidades concebidas, no como parte de una construcción imaginaria, sino como rasgos intrínsecos de la femineidad enraizados en lo biológico, restarían rudeza a las actividades públicas y le otorgarían las cualidades del altruismo.

En los manifiestos feministas de principios del siglo XX, llama la atención el énfasis otorgado al rol primario de la maternidad. Juana María Beguino, socialista argentina, declaraba que la misión más grande de la mujer era ser madre.[4] En 1919, Paulina Luisi sostenía que la participación de la mujer en la vida cívica era una forma noble de cumplir con los deberes de la maternidad[5] y, en sus escritos, Alicia Moreau, durante años, elaboró acerca de la conexión y similitud entre la casa y la nación, entre la organización a nivel doméstico y la administración del país.[6] La intensificación de la imagen convencional de la madre no significó, sin embargo, una feminización de las estructuras políticas o económicas, tampoco se insertó en ellas el concepto de comunidad familiar, propuesto por la ideología feminista de izquierda. Por el contrario, la exacerbación de las funciones maternales que, en parte, contribuyó a paliar los estereotipos de la sufragista como "mujer hombruna", hizo posible que se obtuvieran los derechos civiles, pero también resultó un arma de doble filo. Con contadas excepciones, las mujeres que, hasta ahora, participan activamente en los partidos políticos han continuado siendo madres tradicionales, en un rol subordinado a nivel de organización y jerarquía, como demuestran los estudios de

Elsa Chaney y Evelyn P. Stevens.[7] Es evidente que las metas de la igualdad conllevaban en sí la caída en una emboscada que forzó a la mujer a hacer eco e internalizar los sistemas diseñados por la cultura patriarcal. Subordinación que se observa, no sólo en la política sino también en la práctica de las ciencias y los estudios humanísticos, aún teñidos por cánones y paradigmas de tipo falogocéntrico.

Hacia la década de los años veinte, sin embargo, comienzan a surgir, en forma aislada, voces que postulan la diferencia sexual, no según los patrones dominantes, sino a partir de una situación socio-cultural específica de la mujer. Gabriela Mistral quien, a los dieciséis años publicara su artículo "La Instrucción de la Mujer" (1906) en el periódico *La voz de Elqui*, posteriormente, yendo contra los criterios de la cultura oficial, fue capaz de vislumbrar la importancia de actividades típicas de lo que ella denominaba su "mujerío". Este Hacer a nivel de sub-cultura es elogiado por ella en carta a Pedro Aguirre Cerda escrita en octubre de 1927, allí las obras artesanales por mano de mujer se describen como artefactos de un alto valor artístico y en *Lectura para mujeres* (1924), se propone elevar lo doméstico a un ámbito cultural legítimo. En la introducción señala: "Ya es tiempo de iniciar entre nosotros la formación de una literatura femenina, seria. A las excelentes maestras que empieza a tener nuestra América corresponde ir creando la literatura del hogar, no aquella de sensiblería y de belleza inferior que algunos tienen por tal, sino una literatura con sentido humano, profundo".[8]

Desencauzar las aguas de la igualdad implicó poseer una conciencia ideológica con respecto a la cultura como producción signada por un sujeto productor específico. Perspectiva que puso de manifiesto el factor genérico como moldeador de una visión del mundo que no correspondía a "lo universal", sino a lo masculino. En carta a Virginia Woolf quien influyera, de manera relevante, en su posición feminista, Victoria Ocampo en 1935 declara: "Mi única ambición es llegar a escribir un día, más o menos bien, más o menos mal, pero como una mujer".[9] Y, en conferencia radiotelefónica publicada ese mismo año, bajo el título de "La mujer y su expresión", afirma:

Es fácil comprobar que hasta ahora la mujer ha hablado muy poco de sí misma, directamente. Los hombres han hablado enormemente de ella, por necesidad de compensación sin duda, pero, desde luego y fatalmente, a través de sí mismos. A través de la gratitud o la decepción, a través del entusiasmo o la amargura que este ángel o este demonio dejaba en su corazón, en su carne y en su espíritu. Se les puede elogiar por muchas cosas, pero nunca por una profunda imparcialidad acerca de este tema. Hasta ahora, pues, hemos escuchado principalmente testigos de la mujer, y testigos que la ley no aceptaría, pues los calificaría de sospechosos. Testigos cuyas declaraciones son tendenciosas. La mujer misma, apenas ha pronunciado algunas palabras. Y es a la mujer a quien le toca no sólo descubrir este continente inexplorado que ella representa, sino hablar del hombre, a su vez, en calidad de testigo sospechoso.[10]

Partiendo del concepto de que toda imagen y todo signo son modelizaciones que corresponden a una perspectiva específica, Victoria Ocampo implícitamente está rechazando la noción positivista de verdad; tener acceso a la expresión significa también dar un testimonio parcial de la imaginación. Hablar, escribir e imaginar son modos de ofrecer nuestra propia visión de la realidad, asumiendo una posición autónoma frente a los otros. Su denuncia de la asimetría de nuestra cultura, tan profusa en construcciones imaginarias acerca de la mujer, va dirigida a su derecho a transgredir el silencio impuesto, a llenar los espacios en blanco, a ofrecer, en su calidad de testigo sospechoso y tendencioso, su propia versión. De este modo, el texto de Victoria Ocampo se erige como síntoma de una nueva ideología feminista que incursiona en el entramado oculto del poder patriarcal.

El signo mujer en el despojo de las máscaras

La representación del mundo como el mundo mismo es la obra de los hombres; ellos lo describen desde su propio punto de vista y lo confunden con la verdad absoluta.

Simone de Beauvoir

En el desarrollo de los estudios feministas, *El orden de la familia, de la propiedad privada y del Estado* (1884) de Federico Engels es, sin lugar a dudas, el primer análisis teórico que desenmascara la dinámica económica subyacente en la estructura patriarcal. Remontándose a sus orígenes, Engels propone que, en las sociedades pre-patriarcales, existía el matrimonio grupal donde hombres y mujeres se unían libremente y los niños eran criados por grupos de hombres y mujeres que no siempre estaban emparentados con ellos. Luego se desarrollaron ciertos criterios para establecer relaciones en grupos consanguíneos y, posteriormente, las tribus se organizaron a partir de derechos matriarcales. La aparición del patriarcado, para Engels, coincide con la instauración de la familia monogámica y tiene una base esencialmente ecónomica, como pone en evidencia al afirmar: "Se funda en el poder del hombre, con el fin formal de procrear hijos de una paternidad cierta; y esta paternidad se exige, porque esos hijos, en calidad de herederos directos, han de entrar un día en posesión de los bienes de la fortuna paterna".[11] La organización de la pareja nuclear en madre, "cuidadora de hijos", y padre, "proveedor de alimento", marcó así la primera instancia de una división del trabajo que hizo al hombre, dueño absoluto de los bienes materiales y depositario del poder. Engels define esta relación aseverando:

La abolición del derecho materno fue la gran derrota del sexo femenino. El hombre llevó también el timón en la casa; la mujer fue envilecida, domeñada, trocóse en esclava de su placer y en simple instrumento de reproducción. Esta degradada condición de la mujer, tal como se manifestó sobre todo entre los griegos de los tiempos heroicos, y más aún en los de los tiempos clásicos, ha sido gradualmente retocada y disimulada, en ciertos sitios hasta revestida de formas suaves; pero de ningún modo se ha suprimido. (p. 77)

La familia monogámica, en el pensamiento de Engels, es la forma celular de la práctica de una opresión masculina fundamentada en el principio de propiedad, esta estructura familiar es también una unidad económica por medio de la cual los bienes se acumulan y se transmiten para el interés individual y privado; por lo tanto, la primera oposición de clases se da en el antagonismo hombre-mujer dentro de la institución del matrimonio y el núcleo familiar funciona como protomodelo de las otras relaciones de poder que han sido establecidas en la sociedad capitalista.

En *El segundo sexo* (1949), Simone de Beauvoir, desde una perspectiva existencialista, niega la validez de la teoría de Engels y postula que la alteridad de la mujer es anterior a las relaciones de propiedad las cuales sólo se pueden entender, una vez comprendida la dialéctica del Yo y el Otro. Para la pensadora francesa, el cuerpo, en su dimensión biológica de la reproducción, es el factor que determinó su participación en la cultura. El embarazo hizo de ella un ser pasivo, unido a fuerzas naturales que la previnieron de crear o manufacturar su propio diseño del mundo. Así, mientras ella se dedicaba a dar a luz y a cuidar de los hijos, los hombres se dedicaban a cazar y conquistar territorios. Esta diferencia en las actividades asignadas a cada sexo se insertó, según Beauvoir, en un sistema axiológico en el cual se dio superioridad al sexo dedicado a matar y competir, devaluando, de esta manera, a la mujer. Por consiguiente, el desplazamiento económico y social de la mujer en la evolución histórica responde a la implantación de valores patriarcales fundamentados básicamente en la fuerza física, el falo y el artefacto utilitario. Concepto que le permite desenmascarar los mecanismos de la hegemonía masculina en el territorio de la epistemología donde lo masculino es sinónimo de trascendencia mientras lo femenino permanece en la inmanencia.

El hecho de que el cumplimiento de su rol de madre y esposa esté supeditado a la relación establecida emocional y legalmente con el hombre, implica una situación de dependencia que, para Beauvoir, traspasa los límites de lo puramente económico. La realización de la existencia femenina depende del logro del amor y el matrimonio, razón por la cual el hombre se ha convertido en su único destino. Así, en el proceso de autoconocimiento, la mujer se define a sí misma tomando al hombre como único núcleo de referencia, mientras él, en una situación diferente, define su existencia a partir de una variedad de elementos provenientes de sus actividades públicas en el mundo exterior. Dueño de Dios y del Afuera, el hombre es el Sujeto y el Absoluto mientras que la mujer constituye lo incidental, lo inesencial, el Otro. Beauvoir describe esta situación de dependencia existencial diciendo:

> Una criatura inesencial es incapaz de sentir el Absoluto en el centro de su subjetividad; un ser condenado a la inmanencia nunca podrá encontrar una auto-realización en sus propios actos. Aprisionada en la esfera de lo relativo, destinada a un hombre desde la niñez, habituada a ver en él a un ser superior que ella no puede igualar, la mujer que no ha reprimido su derecho a la humanidad soñará con hacer trascender su ser hacia uno de estos seres superiores, amalgamándose con el sujeto soberano. No existe otra alternativa que perderse a sí misma en cuerpo y alma en aquel que para ella representa lo absoluto y lo esencial.[12]

Las relaciones entre hombre y mujer están signadas, en primera instancia, por una dicotomía de territorios: mientras el hombre, en su posición de Sujeto, tiene acceso al mundo de afuera y a la movilidad ontológica de la trascendencia, la mujer en la casa es el margen subordinado, la pasiva inmanencia. Pero estas relaciones también están trabadas por la mala fe, tanto de los hombres que hacen de ella un objeto como de las mujeres mismas, las cuales ejercen su carencia de libertad, al ser cómplices de esta situación de opresión.

La subordinación existencial de la mujer, como segundo sexo, permea todas las zonas de su identidad dicha y representada por la imaginación del Absoluto masculino. El signo mujer, inscrito tanto en la metanarrativa patriarcal comentada en el capítulo anterior como en las modelizaciones imaginarias del arte y los medios de comunicación, hace de ella un venero inagotable de mitos creados por un Sujeto masculino que transfiere a ella sus temores, sus aspiraciones y sus vivencias de lo divino. Idolo sagrado o profano, virgen sublime o súcubo maligno, ella es, sólo en la medida en que ha sido dicha; dicotomía identitaria que la cercena y la divide a partir de una mutilación inicial: aquella que hizo de ella solamente un útero, en su rol primario de madre, un útero que, en la imaginación masculina, se convirtió también en matriz de signos.

Este es el aspecto que nos interesa destacar en el libro de Simone de Beauvoir donde, por primera vez, se intenta analizar las experiencias específicas de la mujer en el amor, en el matrimonio, en las etapas de la niñez a la vejez. Su voz unida a la de Margaret Mead quien demuestra, en sus estudios antropológicos, que la caracterología atribuida a los sexos no posee una base biológica, socava los monumentos del patriarcado, los desviste y deja a la luz un andamiaje con la posibilidad de ser destruido.

En el caso específico de Latinoamérica, son importantes las resonancias que tiene *El segundo sexo* en la ideología feminista de Rosario Castellanos quien, ya en 1950, presenta una tesis de maestría con un título que, en aquella época, debe haber escandalizado a los académicos: "Sobre cultura femenina". Allí discute los factores que privan a la mujer de una participación activa en una cultura dominada por los hombres. En su artículo "La tristeza del mexicano", pone en evidencia la relación entre lenguaje e identidad al afirmar: "Cuando nos atrevamos a conocernos y a calificarnos con el adjetivo exacto y a arrostrar todas las implicaciones que conlleva, cuando nos aceptemos, no como una imagen predestinada sino como una realidad perfectible, estaremos comenzando a nacer".[13] A diferencia de Simone de Beauvoir, Rosario Castellanos pronuncia estas palabras como habitante de una región del mundo preñada de una multiplicidad de Otros: el mexicano blanco con los ojos puestos en Europa, el mestizo oscilando en un ser nunca resuelto, el indígena viviendo un constante despojo. Otros que, al relacionarse con la mujer, engendran diferentes versiones de una alteridad femenina, siempre bajo la impronta de un Sujeto masculino. Criada en Chiapas, vivió en carne viva el lenguaje, no como un sistema único que acerca a la verdad, sino como el flujo dual de una tensión entre el ladino y el indígena. De allí que para Rosario Castellanos el lenguaje en sí sea un instrumento de dominio, el látigo que impone el poder para silenciar al oprimido.

Y, en su pensamiento, la opresión se despoja de las abstracciones tan corrientes en los discursos europeos. El silencio del indígena es también un recurso y una estrategia de sobrevivencia mientras que la mujer recurre a la praxis de la simulación. En *Mujer que sabe latín*, afirma: "Se ha acusado a las mujeres de hipócritas y la acusación no es infundada. Pero la hipocresía es la respuesta que a los opresores da el oprimido, que a los fuertes contestan los débiles, que los subordinados devuelven al amo. La hipocresía es la consecuencia de una situación, es un reflejo condicionado de defensa—como el cambio de color en el camaleón—cuando los peligros son muchos y las opciones son pocas".[14] Tanto en sus ensayos feministas como en su ficción, la escritora mexicana amplía los límites del signo mujer en su connotación de ente silenciado y oprimido, al insertarlo en el contexto más amplio de la colonización. La mujer y los indígenas son parte de una problemática histórica en la cual los factores de raza y género sexual se encauzan por un devenir semejante. Por lo tanto, no se trata sencillamente de dar voz a la mujer, más importante aún es desenmascarar los mecanismos del poder y desarrollar estrategias de liberación para todos los grupos de oprimidos.

Obertura: 1968

Las brechas abiertas por Engels, Beauvoir y Castellanos adquieren una verdadera visibilidad a partir de 1968. Hacia esta fecha, el ideologema de la igualdad se desmorona; tanto el movimiento de los Derechos Civiles y las protestas contra la Guerra de Vietnam en Estados Unidos como el movimiento de mayo de 1968 en Francia pusieron en evidencia el imperativo histórico de la separación. Esta nueva toma de conciencia con respecto al poder de la hegemonía patriarcal, propició la diserción y surgieron diversas agrupaciones de mujeres que se proponían elaborar sus propias plataformas de lucha.

En el incipiente movimiento de liberación, las mujeres tomaron la palabra creando una sinfonía coral que empezó a minar los cimientos del falogocentrismo. Así, por ejemplo, la voz airada de Mary Ellman en *Thinking About Women* (1968) denunció, con cierto desenfado para la época, el predominio de una Falocrítica en los estudios de literatura que resultaba ser, en su opinión, el índice de un paradigma totalitario en la infra-estructura y todas las expresiones culturales. Las lingüistas norteamericanas Mary R. Key y Robin Lakoff analizaron la presencia del sexismo en el lenguaje mientras Mary Daly y Marina Warner examinaron la tradición judeo-cristiana en términos de una construcción ideológica que refuerza, a nivel divino, los roles sociales de la supremacía del Padre y la subordinación de la mujer.

Por otra parte, surgió la necesidad de invadir el territorio de los hombres y hacer revisiones a la versión oficial de la Historia modificando el modelo monolítico de los sucesos, definidos como significativos, en una evolución histórica analizada desde una perspectiva masculina burguesa. Las historiadoras feministas, en su rol de descifradoras e iconoclastas, subvirtieron los cánones oficiales para analizar aquellos datos que habían quedado sepultados en la marginalidad: tratados médicos, manuales caseros, revistas femeninas, sermones religiosos e informes judiciales. El objetivo principal era construir una Historia del núcleo familiar, de las actitudes y la conducta sexual de cada época y de las características del rol de la mujer, tanto en la religión como en la política. También se planteó la necesidad de reescribir la Historia periodizándola desde el punto de vista de la reproducción biológica, factor que permitiría tomar en cuenta cambios significativos en la estructura familiar, la sexualidad y el parto.[15] En otras palabras, incursionar en los márgenes opacados por la Historia oficial implicaba entrar en la Historia de Ella para minar las monumentalizaciones en la Historia de un El, afincado en la intelectualidad burguesa.

Por otra parte, se empezaron a cuestionar los principios de la objetividad y la racionalización en la práctica de las ciencias para postular que ésta ha estado dominada por un proceso cognoscitivo de tipo masculino. Para esta nueva perspectiva feminista, los objetivos de las ciencias experimentales son una expresión del impulso masculino de agresión y dominación que no sólo intenta controlar al Objeto sino que también le atribuye una estructura, a partir de una perspectiva jerarquizante. Así, por ejemplo, el debate de la Teoría de los Genes se interpretó como la confrontación de dos posiciones ideológicas que respondía a dos modos diferentes de comprender los fenómenos naturales. Mientras la perspectiva falogocéntrica dominante le ha dado primacía a un núcleo y ha establecido una estructura que se aproxima al totalitarismo político, una visión de carácter marginal concibe la célula como una organización no jerárquica en la cual cada molécula se interrelaciona funcionalmente con las otras. Es más, oponiéndose a un discurso científico que plantea la investigación como el acto de controlar, conquistar y atacar la Naturaleza, Evelyn Fox-Keller, por ejemplo, propone que esta práctica se establezca a partir de una relación subjetiva y afectiva con el Objeto: pues la mujer, en su conjunción ancestral con la Materia, no intenta dominarla sino relacionarse eróticamente con ella.[16]

Pero si la denuncia de las diferentes expresiones del poder patriarcal ha conducido a vastas investigaciones, el dilema más complejo ha resultado ser la problematización de la estructura binaria de "lo masculino" y "lo femenino" basada en la categoría del género, construcción creada por ese poder. Desenmascarar y oponerse al orden falocrático ha implicado también el imperativo de ofrecer alternativas. Por consiguiente, a la fase más o menos sencilla de analizar las expresiones de la hegemonía masculina ha seguido el proceso problemático de ofrecer construcciones alternativas de "lo femenino", ampliamente definido y mitificado, en nuestra cultura, como lo Otro—condición y comarca carentes de un discurso y de un sistema simbólico propio.

Los recursos del cuerpo

Pero la mujer tiene órganos sexuales por todas partes. Ella experimenta el placer casi en todas sus partes. Incluso sin hablar de la histerización de todo su cuerpo, se puede decir que la geografía de su placer es mucho más diversificada, más múltiple en sus diferencias, más compleja, más sutil que lo imaginado—en lo imaginario centrado demasiado en el uno y en el mismo.

Luce Irigaray

Para algunas feministas de la década de los años setenta, el cuerpo, con toda su contigencia, es el punto de referencia con relación al cual nos aproximamos a nosotras mismas y a la realidad circundante. Puesto que de ese cuerpo dependería nuestro modo de situarnos en el mundo, él constituiría una manera propia de experimentarlo, de intuirlo y, eventualmente, de organizarlo. La mujer, como cuerpo sangrante en el flujo menstrual, como cuerpo recreador de la especie y como cuerpo en regocijo erótico se concebiría, entonces, como un Sujeto unido a la Materia desde la cual produciría modelizaciones de la realidad y de sí misma. Modelizaciones que, al irrumpir en el silencio mantenido por la hegemonía patriarcal, proveerían no sólo una definición de lo femenino sino también una visión del mundo específica. Esta posición teórica constituye un acto subversivo con respecto a la supremacía asignada al Espíritu (Razón, Logos) versus la Carne (Naturaleza, Eros), disidencia fundamental que propone, precisamente, modificar el Logos para establecer relaciones significativas entre el cuerpo, el sistema del lenguaje y la escritura. Además, en su función peculiar de reproducción biológica, el cuerpo de la mujer estaría propiciando una teorización ontológica del embarazo, como condición de Sujeto nutriente de un Otro, proveyendo, así, modificaciones significativas del concepto de alteridad, según los sistemas filosóficos dominantes. Por otra parte, desde una perspectiva social y económica, la maternidad requeriría revisiones que afectarían la configuración patriarcal de este rol. El cuerpo en estos planteamientos teóricos sería, por lo tanto, mucho más que una imagen especular empañada por las construcciones culturales dominantes, ya que constituiría un modo de estructuración que afectaría sistemas tan diversos como el lenguaje, la base económica y la filosofía.

El signo mujer, ahora planteado en directa beligerancia con la noción cartesiana, se desliza, sin embargo, por los terrenos resbaladizos y contradictorios del biologismo y el esencialismo. "Soy cuerpo, luego existo" es una aseveración que podría revertir a las fronteras limitantes de esa misma topografía corporal o que conduciría, por el contrario, a abstracciones mitificantes que harían de la "Esencia" de lo femenino, una categoría estática.

En el amplio *spectrum* de esta ideología anclada en el cuerpo de la mujer, los planteamientos de Hélène Cixous son los que resultan más propensos a caer en un esencialismo que omite la posibilidad de una praxis política. Apropiándose de la *différance* derridiana, en su ensayo "Sorties", incluido en *La jeune née* (1975), empieza denunciando las valoraciones del sistema falogocéntrico en un sistema de oposiciones binarias que se establecen a partir de los siguientes significantes: Hombre-Mujer, Actividad-Pasividad, Sol-Luna, Cultura-Naturaleza, Día-Noche, Cabeza-

Corazón y Logos-Pathos. Establece que dichas oposiciones se extienden a la posición social de cada sexo y a la codificación de las diferencias sexuales en todas las prácticas simbólicas de nuestra cultura y, propone invertir y desplazar estas oposiciones jerarquizadas que, lejos de ser eternas y naturales, deben ser releídas y diferidas.

Por consiguiente, la acción feminista estaría en borrar esta paternidad constrictiva, exigiendo de la escritura lo que se exige del deseo, o sea, que no tenga relación con la lógica. Así, en *Prénoms de personne* (1974), Cixous hace la siguiente afirmación: "Exijo de la escritura lo que exijo del deseo: que no tenga ninguna relación con la lógica la cual pone al deseo en el espacio de la posesión, la adquisición, el consumo-consumación que gloriosamente empujado hasta el fin conecta el (des)conocimiento con la muerte".[17] Centrándose en el cuerpo como matriz de la escritura, insiste en el exceso, en la salida fuera del sistema falogocéntrico a través de una acción escritural subversiva que no aspira a la representación de "lo real", sino a la inserción del proceso fantasmático de aniquilar la censura y la represión en un movimiento que parte de la mujer y va dirigido a ella. El aspecto relevante del cuerpo estaría, para la escritora francesa, en la *jouissance* y la escritura de la mujer constituiría una inscripción de lo libidinal en una economía específicamente femenina.

No obstante persisten en su pensamiento huellas de las oposiciones binarias que se propone borrar, Cixous cree encontrar una salida en el reemplazo de la diferencia nominal "hombre-mujer" por los adjetivos "masculino" y "femenino" que no necesariamente deben referirse a uno u otro género sexual. Puesto que la economía política de lo masculino y lo femenino se basa en relaciones de poder y producción que luego son socializadas y metaforizadas en un sistema de inscripciones culturales, ella opta por teorizar la diferencia sexual a partir de la diferencia de las economías libidinales. Sin entrar en la problematización del concepto economía que, para Freud, implicaba un término límite entre lo síquico y lo somático, Cixous iguala la vida sexual con las economías libidinales y las proyecta a una caracterización de la escritura masculina (centralizada, cortante, breve, en constante alternación de la atracción y la repulsión) y de la escritura femenina (continua, abundante, excesiva). Es más, sus adjetivos calificativos, de manera contradictoria, terminan dando paso a los sustantivos culturalmente limitantes de hombre y mujer pues, al definir lo femenino, ella recurre a las metáforas tradicionales de la difusión, la liquificación, la vitalidad y el cuerpo. La presencia de la mujer, afirma, se debe a esa proximidad, a su propio cuerpo y, por esta razón, su escritura es cercana a la voz y al ritmo, este último planteado como sinónimo de respiración, exhalación, suspiro y soplo de vida. Relación escritura/cuerpo que otras feministas francesas defienden, haciendo de la palabra y el lenguaje una corporalidad que incita a lo sensual y lo erótico. Así, Chantal Chawaf, por ejemplo, define la palabra como granulada, iridiscente, pegajosa y retorcida, con su propia vida orgánica despertando a la sensualidad del cuerpo. El lenguaje como carne debe materializarse, entonces, a través del cuerpo redescubierto y la escritura femenina debe dar origen a "una fecundidad de mucosa, leche, esperma y secreciones que fluyen para liberar energías y retornarlas al mundo".[18]

Indudablemente, esta postulación del cuerpo femenino como *locus* de la escritura ha promovido la exploración de un espacio silenciado que, en la tradición de occidente, se había reprimido aunque, como recurso subversivo, no resulta nada nuevo, al compararlo con la literatura de vanguardia.

En realidad, nos parece que el cuerpo, en el contexto de la escritura producida por la mujer, es sólo una respuesta provisoria determinada, mayormente, por su potencial transgresivo en una cultura que se ha restringido, desde la mirada del hombre, a elaborarlo como Objeto de Deseo y Objeto de Veneración. La carencia y el vacío a los que aludía Sigmund Freud en su conferencia acerca de la femineidad, cubre espacios mucho más amplios que las zonas libidinales. Frente a la ausencia de representaciones propias acerca del cuerpo, la afirmación de Hélène Cixous de que la mujer se materializa con su carne y da significado a lo que piensa con su cuerpo no deja de tener atractivos. Pero, en un momento histórico en el cual la mujer se encuentra escindida entre un yo social que no la satisface y la recuperación de un cuerpo reprimido, nos preguntamos hasta qué punto el discurso del cuerpo, como ella lo plantea, no lo revierte a su esencia patriarcal de Cuerpo-Naturaleza, mutilando otras alternativas de ser. Es más, creemos que la inscripción del cuerpo (femenino), implícitamente opuesto a mente (masculina), reitera esa oposición binaria que Cixous misma pretendía borrar; además, no obstante, ella está consciente de que lo femenino y lo masculino son originados por la supremacía del poder patriarcal, parece claudicar a esa prisión social y simbólica, limitándose a estas dos únicas categorías, sin romper realmente ninguna cerradura, sin abrir una brecha significativa en las oclusiones.

Y, en este sentido, las teorizaciones de Julia Kristeva resultan más acertadas; pues, al distinguir una modalidad semiótica pre-verbal y pre-simbólica conscientemente reprimida por el Logos, alude a la posibilidad de significados heterogéneos que subvierten los sistemas existentes de significación. Para Kristeva, la irrupción de lo semiótico en lo simbólico representa una negatividad que propicia una disidencia originadora de nuevas formas de discurso, como demuestra en sus análisis de los textos de Lautréamont, Artaud y Bataille. No obstante el *locus* de lo semiótico se origina cuando el niño está aún unido al cuerpo de la madre y a los impulsos instintivos, Kristeva, a diferencia de Cixous, amplía el concepto de cuerpo, al ubicarlo en relación con los procesos de significación, como una praxis que corresponde a lo no representado, a aquello que permanece fuera de las nominaciones y las ideologías. Por consiguiente, en la escritura de la mujer, como en el lenguaje poético, la noción de significado resulta insuficiente debido a esa fuerza instintiva o afectiva que no logra ser significada y que permanece latente en la invocación fónica o el gesto de inscripción.[19]

En una oscilación muy característica suya, Cixous abandona el énfasis derriadiano en la textualidad como *différance* para poetizar a un nivel metafísico, proceso a través del cual el cuerpo con sus peligros biologistas se abstrae en un esencialismo de la maternidad. Definida como origen sin nombre, la voz de la madre canta antes de la ley y su seno simboliza el centro y la esencia del ser en una forma vacía y llena, grávida y aérea. Prometea en *Corps* écrit 6 (1983), como símbolo de la libertad y lo limitado es, en nuestra opinión, también un signo de ese discurso esencialista que sólo parece resolverse en la utopía. Para la escritora francesa, Prometea es una mujer, es una yegua, en un sí a todo aquello que ella desea, a todo aquello que intenta buscar, ensayar y sentir para alcanzar el infinito. Si bien la utopía pone de manifiesto una insatisfacción básica con el orden dominante, la feminización del Prometeo griego señala las limitaciones de una abstracción, aún dependiente de los procedimientos de la cultura falogocéntrica en su expresión elitista y burguesa.

En el contexto álgido de los sistemas dictatoriales latinoamericanos, la posición de Cixous resulta aún más remota al devenir histórico. Los simulacros de Prometeo en una práctica fascista y militar que en Chile encendía antorchas al nuevo régimen, autodenominado como nuevo salvador de la humanidad, no hacía posible conformarse con la sencilla producción de contratextos para una tradición clásica europea. Y el gran seno de la escritura en su teoría estaba siendo suplantada por pechos de mujeres que portaban la foto de un hijo o un esposo desaparecido mientras se encadenaban a las rejas de los jardines del Congreso clausurado por Augusto Pinochet. Pechos que corrían el peligro de cárcel y de muerte, cuerpos de mujer que eran también un cuerpo político.

Los discursos teóricos de Luce Irigaray están también teñidos por este tipo de esencialismo que, al tratar de invertir los conceptos acerca de la mujer en la metanarrativa patriarcal, caen en la ahistoricidad, tanto de la categoría "mujer" como del patriarcado que se postula como invariable, como estático en el devenir histórico.[20] Sin embargo, en nuestra opinión, a través de su crítica de la filosofía de occidente y el develamiento que hace de los mecanismos del poder patriarcal, Irigaray inaugura una valiosa plataforma para desmantelar la lógica falogocéntrica y sus procedimientos de representación explorando, a la vez, otros aspectos de la especificidad de la experiencia de la mujer.

Así, por ejemplo, en *Speculum de l'autre femme* (1974), Irigaray analiza el signo mujer en la teoría freudiana, no simplemente como la carencia de un falo o la deficiencia dentro de una norma masculina. Yendo más allá de los ya típicos ataques hechos desde una perspectiva feminista, ella ve, en los procedimientos freudianos, la expresión de una constante en la ideología patriarcal: la especularización, como la necesidad de plantear un Sujeto masculino que es capaz de reflejarse en un Otro. Esta imagen especular responde, para Irigaray, a la lógica de lo Mismo a través de la cual la diferencia sexual entre hombre y mujer se reduce a hacer de esta última "el negativo" del reflejo masculino propio. Sin parámetros ni modos de representación capaces de incorporar las vivencias e ideas de la mujer silenciada por el sistema, el pensamiento falogocéntrico se limita, en sus construcciones culturales de lo "femenino", a duplicar la imagen propia en márgenes e inversiones que continúan generándose dentro de un ámbito exclusivamente masculino. De allí que la especularización sea también especulación de tipo narcisista y que la mujer en sí haya estado fuera de todo imaginario o praxis de representación. En *El sexo que no es uno* (1977), Irigaray explica este fenómeno de la siguiente manera: "El rechazo, la exclusión de un imaginario femenino ciertamente pone a la mujer en la posición de experimentarse a sí misma sólo de manera fragmentaria en los márgenes poco estructurados de una ideología dominante como desperdicio, como exceso, como aquello que queda de un espejo investido por el sujeto (masculino) para reflejarse a sí mismo. Es más, el rol de la "femineidad" está prescrito por esta especula(riza)ción masculina que escasamente corresponde al deseo de la mujer, el cual sólo puede ser recuperado en secreto, ocultándose con ansiedad y sentimiento de culpa".[21] Subvirtiendo la estructura binaria falocéntrica que supone a la sexualidad como actividad de intercambio entre lo femenino y lo masculino, Irigaray elimina al omnipotente Sujeto masculino agente para explorar el placer sexual femenino en la autonomía de su propio cuerpo. A partir de lo concreto anatómico, afirma que los labios vaginales que se rozan y acarician constantemente en una dualidad no divisible, producen en la mujer un placer dentro de sí misma que no ha sido representado ni teorizado por los discursos falogocéntricos que han intentado definir y modelizar a la sexualidad femenina. En este ámbito de labios que se rozan, la penetración fálica, acto altamente favorecido y valorado por la cultura dominante, resulta ser la irrupción abrupta de un objeto ajeno.

Pero Irigaray no se conforma simplemente con la inscripción de un nuevo *locus* para la sexualidad autónoma de la mujer, el valor de su tesis reside en el hecho de que ésta le permite entrar en uno de los problemas básicos de lo imaginario y los procedimientos de representación en la cultura de occidente. Refiriéndose a la vagina, afirma:

Este órgano que no tiene nada que mostrar a la vista, también carece de una forma propia. Aunque la mujer obtiene su placer precisamente de lo incompleto de esta forma que le permite tocarse una y otra vez, en forma indefinida, ese placer ha sido negado por una civilización que privilegia al falomorfismo. El valor adscrito a sólo aquello que posee una forma definible excluye toda posibilidad de autoerotismo en la mujer. El *uno* como forma de lo individual en el órgano sexual (masculino) es también el nombre propio, el significado apropiado que suplanta toda otra forma de sexualidad. Se separa y se divide, así, el contacto de *por lo menos dos* (labios) que mantienen a la mujer en contacto consigo misma y sin distinguir lo que toca, de lo que es tocado". (p. 26)

En el falo, con su forma visible y definida, Irigaray ve un eje axiológico que rige no sólo un sistema de valores, sino también los parámetros sobre los cuales se construye la representación. El valor asignado al falo impone una comprensión de la sexualidad en términos de categorías masculinas, tales como la erección, la rigidez y la longitud. También el falo es índice de una lógica falogocéntrica en la cual predomina una economía de tipo escópico donde la forma visible determina la existencia de los objetos. Para esta perspectiva, arguye Irigaray, la sexualidad femenina, como actividad eminentemente táctil de labios interiores que se rozan, es invisible, es un espacio borrado, como atestiguan simbólicamente las esculturas griegas de la Antigüedad. En ellas, los órganos sexuales femeninos eran suplantados por un espacio en blanco mientras el falo, monumentalizado en una exageración de dimensiones, era el órgano pictórica y ritualmente reverenciado.[22]

Por consiguiente, en una civilización que ha privilegiado el falomorfismo, el placer sexual de la mujer no sólo ha sido borrado sino también negado. Más aún, asevera Irigaray, el órgano sexual femenino que no es uno sino múltiple e indivisible ha resultado un misterio para nuestra cultura que, por excelencia, enumera y computa en unidades individuales para producir siempre cifras e inventarios. Desde su multiplicidad y fluidez táctiles, la sexualidad femenina anula el sentido de la propiedad subvirtiendo, de este modo, el orden dominante pues la cercanía del roce no permite la identificación de uno ni de otro.

Es en esta economía de la contigüidad donde Irigaray ubica el lenguaje de la mujer como generolecto que se dispersa, en foma simultánea, en el todo y en la nada. El placer sexual y la palabra de la mujer rebasan, entonces, las estructuras creadas por el falogocentrismo y, al contemplarse ella en la imagen mutilada de lo femenino, según la imaginación masculina, entra en un sistema de codificación que ha mantenido a la mujer en lo no reconocido, en lo censurado y lo reprimido. Este Yo que rebasa todas las representaciones dominantes se fragmenta, así, en márgenes que parecen ser un exceso y un desperdicio.

Aparte de este obvio desfase entre experiencia y representación, se observan otros procedimientos que fragmentan a la mujer, construida por el sistema, según Irigaray, como una mercancía de intercambio. Concepto que se hace explícito en su siguiente afirmación:

Esta división del trabajo—en particular trabajo sexual—requiere que la mujer mantenga, en su propio cuerpo, un sustrato material que la identifica como objeto de deseo, sin tener ella misma acceso al desear. La economía del deseo—del intercambio—es asunto de hombres. Y esa economía fuerza a la mujer a experimentar una escisión que es necesaria para todas las operaciones simbólicas: sangre roja/apariencia; cuerpo/envoltura investida de valor; materia/medio de intercambio; naturaleza (re)productiva/feminidad fabricada. Esta escisión es experimentada por las mujeres sin que logren obtener ninguna ganancia de ella y sin que les sea posible trascenderla. Ni siquiera tienen conciencia de que existe. El sistema simbólico las divide en dos. En ellas la "apariencia" permanece como algo externo y ajeno a lo natural. Socialmente, ellas son objetos para los hombres y, sin poder hacer nada al respecto, sólo pueden imitar un lenguaje que no han creado; naturalmente, ellas permanecen amorfas, experimentando impulsos que están fuera de toda representación. Para ellas, no tiene lugar la transformación de lo natural en lo cultural, excepto en la medida en que funcionen como parte de la propiedad privada, o como mercancía. (p. 189)

En contraposición a su propio lenguaje, múltiple y fluido, disperso como exceso en los márgenes del lenguaje falogocéntrico, la mujer, en su posición de ente subordinado y poseído, debe recurrir al mimetismo y la mascarada. Hablar de acuerdo al discurso que se le ha asignado y participar en la falsa versión de la femineidad creada por un estándard masculino que es el que le atribuye palabras, gestos y modos de conducta. Las resonancias del *étalon* (potro) alcanzan, para Irigaray, todos los aspectos de un orden socio-sexual en el cual "lo masculino" corresponde a un Sujeto Productor y "lo femenino" es sinónimo de objeto y mercancía. Estas postulaciones acerca de la mujer peligrosamente bordean el cliché simplificador, pese a que sus interpretaciones de los mecanismos de poder del falogocentrismo nos parecen válidas. De validez semejante, resultan sus aserciones con respecto al predominio de genealogías masculinas en nuestra cultura. Irigaray, invirtiendo el énfasis en el Padre y el complejo edípico, ha elaborado acerca de la relación madre-hija en *Et l'une bouge pas sans l'autre* (1979) y *Le Corps-à-corps avec la mère* (1981), con la intención de inscribir procesos de identificación que han sido borrados por una cultura en la cual la línea masculina de afiliación es la que recibe prioridad. Así, modificando la figura icónica de la Virgen María que sostiene a un hijo entre sus brazos, sustituye a Jesús por una hija y, trascendiendo las mitificaciones de la maternidad consagrada, ve en la placenta un sitio desde el cual se puede establecer un nuevo modelo de relaciones. En lo que ella denomina una amnesia cultural, se ha ignorado la economía fetal en la cual se da una reciprocidad y coexistencia pacífica que posee importantes dimensiones éticas.[23] Del mismo modo, la sangre menstrual, en su connotación de vida, podría modificar radicalmente sus dimensiones simbólicas en una cultura en la cual la sangre es sinónimo de contienda viril y violencia hecha espectáculo.

El cuerpo de la mujer, en las postulaciones de Luce Irigaray, deviene así en un recurso, no del método como en la filosofía cartesiana, sino de una nueva configuración de valores que podríamos calificar como "ginelogocentrismo". Esta posición ideológica reapropia una naturaleza femenina con el objetivo de revalidar lo biológico y utilizarlo como base de modelizaciones teóricas con la potencialidad de insertarse, tanto en los repertorios simbólicos dominantes como en una praxis política. De modo similar, Adrienne

Rich ha considerado que el cuerpo de la mujer es un fundamento biológico de nuevos significados espirituales y políticos, razón por la cual ha dicho: ". . .la reposesión por las mujeres de nuestros cuerpos traerá cambios más esenciales en la sociedad humana que el manejo de los medios de producción por los/las trabajadores/as. . . En ese mundo las mujeres crearán verdaderamente una vida nueva, criando no sólo niños/niñas (si y como lo eligiéramos) sino también visiones y el pensamiento necesarios para sostener, consolar, alterar la existencia humana—una nueva relación con el universo. Sexualidad, política, inteligencia, poder, maternidad, trabajo, comunidad, intimidad desarrollarán nuevos significados; el pensamiento mismo será transformado".[24] Esta recuperación del cuerpo femenino es postulada por Rich, desde una perspectiva lesbiana que propone el reemplazo de las estrictas categorías genéricas por un *continuum* en el cual las relaciones entre mujeres se manifiestan desde lo sexual hasta lo afectivo comunitario. La identidad de la mujer arrancaría, así, no de los roles tradicionalmente adscritos por la sociedad sino de su cuerpo en el cual lo maternal se extendería a las estructuras mayores de una colectividad de mujeres. Por otra parte, Mary Daly plantea la Gin/Ecología como un re-clamar de la energía de la mujer íntimamente unida a la vida.[25]

En estos discursos, el signo mujer se perfila con resonancias utópicas y exageradamente positivas, en una reapropiación, a veces, de las mistificaciones patriarcales. Lo biológico es, en primera instancia, sinónimo de una esencia, de un fundamento invariable que, como un resorte en espiral, genera una nueva organización de la realidad y de la sociedad. Razón por la cual dichos discursos han producido ciertas reservas en otras riberas del pensamiento feminista actual.[26] Sin embargo, nos parece que, en el presente movimiento de liberación de la mujer, no dejan de tener valor aquellos discursos que, imitando un tanto los autoelogios del *Homo Sapiens*, crean otras construcciones imaginarias para postular paradigmas alternativos. En este sentido, la maternidad ha dado a luz importantes cuestionamientos con respecto al cuerpo de la mujer. Los mitos patriarcales de la madre se han despojado de sus caretas de altruismo y sacrificio sublime para mostrar otros rostros. Nancy Chodorow, por ejemplo, ha preguntado hasta qué punto es imprescindible que sea la mujer y no el hombre quien se dedique a la crianza de los hijos sugiriendo que, de este modo, es posible alterar tanto la estructura del núcleo familiar como la identidad genérica que se perpetúa, precisamente, a través de la organización patriarcal de la familia.[27]

Pero, aparte de este cuestionamiento con respecto al rol primario de la maternidad, se ha hecho también evidente la carencia de un discurso propio de la mujer para modelizar su experiencia bio-materna. Dados los silencios y espacios en blanco de una producción cultural eminentemente masculina, no llama la atención, por ejemplo, de que, con contadas excepciones, estas vivencias no hayan adquirido la importancia de suceso o acontecimiento literario en la narrativa de occidente. Como si el embarazo y el parto hubieran ocurrido siempre en una cámara oscura, hasta ahora, permanecen en el ámbito de lo que no posee lenguaje. El útero preñado de la mujer parece ser, contradictoriamente, un páramo que carece de palabras, debido a la coartada de un sistema que se centra en la figura estática de la madona.

Hacia una Mater Narrativa

Duerme, mi sangre única
que así te doblaste,
vida mía, que se mece
en rama de sangre.
Cristal dando trasluces
y luces de sangre;
fanal que alumbra y me alumbra
con mi propia sangre.

Gabriela Mistral

En el principio, en la noche uterina, hubo una voz, la voz de la
Madre. Para el niño que nace, la Madre más que una imagen es un
flujo olfatorio y vocal. Nos podemos imaginar la voz de la Madre
tejiéndose alrededor del hijo, originándose en todos los puntos del
espacio mientras su forma entra y abandona el campo visual, como
una matriz de lugares que quisiéramos denominar "red umbilical".
Por cierto, ésta es una expresión horripilante porque evoca una tela
de araña—y, en efecto, este lazo vocal de los orígenes permanecerá
en la zona de lo ambivalente.

Kaja Silverman

En el poema de Gabriela Mistral, la maternidad es sangre que se dobla, rama, luz y trasluz que, en nuevo follaje,
borra e inunda la línea tajante que separa al Sujeto de un
Otro, aniquilando, así, el paradigma de las oposiciones binarias. Espacio de una intersubjetividad en la cual la mujer, a diferencia de la Virgen María, deja de ser el receptáculo pasivo de "un fruto divino" para fundirse y refundir-
se en él, a través de un alumbrar que es también un ser
alumbrada. Sangre/Luz en el tejido de la voz y el flujo olfatorio, como agrega Kaja Silverman, sitio uterino primordial que, visto desde los paradigmas creados por una perspectiva eminentemente masculina, resultaría sinónimo de
la ambivalencia.

Telaraña vital sobre la que se arrojan las otras redes de
un lenguaje y un sistema filosófico que impone disyun-
ciones y separaciones, bajo la impronta de la devaluación
y la omisión de la experiencia de la mujer. Para una nueva
perspectiva centrada en la relación de la mujer con el mundo, el proceso de la germinación, como postula Lucía Piossek Prebisch en su importante ensayo publicado en la revista *Sur* en 1971, debe engendrar un discurso de la reciprocidad que modifique y sustituya las nociones de Sujeto
y Objeto en la tradición filosófica de occidente.[28] El punto
de arranque para la elaboración filosófica de la maternidad
está, para ella, en la siguiente pregunta: "cómo 'abre', cómo
sitúa en el mundo un cuerpo del que puede decirse que
es mi cuerpo pero no mío, un cuerpo enajenado por el he-

cho de ser el receptáculo vivo y el alimento de 'otro'" (p. 99).

Por una parte, el cuerpo que alimenta a un hijo en sus entrañas se remite a la sujeción de un orden y un ritmo compartido por las especies vegetales y animales. Es así lazo hacia lo cósmico, pero también desvío de "lo cultural", en su sentido de elaboración y organización racional de la naturaleza. Piossek Prebisch señala las implicaciones filosóficas del hecho natural del embarazo diciendo:

> Este cuerpo que es mi cuerpo, pero no mío; este cuerpo que atraviesa por sucesivas y sorpresivas variaciones, no en beneficio propio, sino en beneficio de "otro", implica una experiencia de humildad ontológica. Es un cuerpo que no permite olvidar la sujeción a un orden y a un ritmo compartidos con otras regiones de la vida animal y vegetal. La orgullosa afirmación de la persona como autodeterminación y poder sobre la naturaleza se hace difícil para un ser humano que nota que sus mejores reservas y fuerzas vitales se desplazan hacia los intereses de la especie; para un ser humano que deja literalmente de ser individuo, y que de modo natural y no por enfermedad o decadencia no es libre en la utilización de sus propias fuerzas. (p. 99)

El cuerpo femenino, como receptáculo y albergue de la gestación, es entonces medio y objeto de los intereses de la especie que lo transforman; el cuerpo embarazado deja de ser una forma ágil y centrífuga, apta para la aprehensión, la transformación y el dominio de su circunstancia, según las definiciones propias de un discurso falogocéntrico que así define la autonomía y la libertad. Es más, lejos de encauzarse en la completación de metas de carácter teleológico, la mujer permanece a la espera y al cuidado de ese Otro que se custodia con el propio cuerpo, al cual se añade el desplazamiento de la sensibilidad, puesto que las sensaciones olfativas, gustativas y táctiles se dan tanto en función de su cuerpo como del cuerpo que crece dentro de él.

Proceso que Piossek Prebisch define de la siguiente manera:

A este cuerpo que es mi cuerpo, pero no mío, se le afina la sensibilidad. Todos los sentidos se agudizan, puestos al servicio del "otro", que no puede servirse aún de sus propios sentidos. En mi cuerpo ocurre una verdadera transferencia de la sensibilidad al "otro". Las sensaciones olfativas, gustativas, táctiles, etc., son agradables o desagradables más en función de los intereses del "otro" que de los míos. Es como si la maternidad "descentrara" la sensibilidad del cuerpo propio, y esto en mayor medida cuando la determinación *para*, que afecta al cuerpo durante la gestación y la lactancia, se experimenta como donación de sí y no sólo como un medio para los fines de la especie. (pp. 100-101)

Aunque ella no elabora acerca de esta donación de sí, sus implicaciones no sólo a nivel filosófico sino también político, son numerosas. Dar lo propio para un "otro" que es parte de nosotras mismas aniquila toda noción de poder o jerarquía, los impulsos de dominio se truecan en un solidario entrenzamiento hacia la protección de la vida, concebida no en relación con lo individual sino con lo comunitario, ligado al entorno más amplio de lo natural. Reinscribiendo el signo de la ternura maternal, tan profusamente elaborado por la metanarrativa patriarcal en lo que ha llegado a ser un cliché, Piossek Prebisch afirma:

Este cuerpo que es mi cuerpo, pero no mío, se experimenta como el vulnerable receptáculo de "otro", de "otro" indefenso y tierno –y por eso objeto de ternura–, en torno al cual las cosas que rodean presentan un aspecto vulnerable. El "otro" que mi cuerpo lleva trenzado en sus entrañas, y que luego se alimenta de mi cuerpo, se sirve de mí como medio para entrar en el mundo. Por eso el responsable de un cuerpo así siente el mundo como una realidad en la que debe moverse con un cuidado extremo, en custodia de los intereses del "otro". (p. 100)

En sus dimensiones éticas, la maternidad coloca a la mujer en un rol de responsabilidad que se extiende más allá del parto, pese a que en nuestro orden simbólico dominante, la protección de los hijos se atribuye en mayor medida a la figura del padre. Como señalara Luce Irigaray, centrarse en la economía de la placenta y elaborar discursos a partir de ella implica trascender y modificar, de manera radical, tanto la dinámica de las relaciones humanas como la definición de los principios éticos. Por otra parte, como establece Piossek Prebisch, el concepto mismo del dolor, hasta ahora anclado en el castigo bíblico, requiere importantes reelaboraciones. Más allá de las narrativas del dolor metafísico o de los sufrimientos melodramáticos, se erige el dolor del parto como punto cúlmine de la gestación. Dolor fuera de todo mal, realizándose en un cuerpo que, lejos de estar enfermo, se escinde en dos duplicando la vida.

Por otra parte, la experiencia femenina de la gestación inserta a la mujer en una vivencia del tiempo que se da fuera de las mediciones inventadas por los hombres. El ritmo biológico del cuerpo en ciclos, gestaciones y eternas recurrencias impone una temporalidad que se relaciona con lo cósmico. Modificando los paradigmas que ubican al ser humano entre el dominio del tiempo en estrictos horarios y la impotencia frente a lo siempre fugaz, esta temporalidad hace de la mujer no el Sujeto o el Objeto del tiempo, sino la colaboradora en un orden que no cesa de repetirse. A la vez, el corte del cordón umbilical, como primer desenlace en la existencia de una persona, modifica los significados que le atribuyen, tanto en la literatura como en las interpretaciones de la Historia, un carácter de resolución final. El desenlace del cuerpo materno constituye, en efecto, una experiencia inaugural de entrada en el mundo.

Como ha dicho Julia Kristeva, todos estos silencios y las

implicaciones que acabamos de señalar han hecho de la maternidad, en nuestra cultura, un fantasma que nos nutre con la idea de un continente perdido. De allí, que la exploración filosófica de dicha maternidad resulte una herejía, no sólo por intentar inscribir lo ajeno en los territorios consagrados del falogocentrismo sino también por ensayar palabras demasiado lejanas y demasiado abstractas para lo que Kristeva enuncia como "bullicio subterráneo de segundos que se pliegan en espacios inimaginables".[29] La maternidad es, así, aquella comarca que excede al lenguaje, que lo señala, a través de un cuerpo grávido, como sistema sospechosamente aliado a una perspectiva que no corresponde y no denota las experiencias biológicas de la mujer. Julia Kristeva especifica cuáles son los vástagos transgresivos de ese cuerpo, al decir:

> Lo no dicho pesa indudablemente sobre el cuerpo materno: ningún significante puede eliminarlo sin que quede algo, pues el significante es siempre sentido, comunicación o estructura, mientras que una mujer-madre sería más bien un pliegue extraño que transforma la cultura en naturaleza, lo que habla en biología. Para referirse a cada cuerpo de mujer, esta heterogeneidad insubsumible por el significante estalla violentamente con el embarazo (umbral de la cultura y de la naturaleza) y con la llegada del hijo (que saca a la mujer de su unicidad y le da una oportunidad—aunque no una certeza— de acceso al otro, a la ética). Estas particularidades del cuerpo materno hacen de una mujer un ser de pliegue, una catástrofe del ser que no podría subsumir la dialéctica de la trinidad y sus suplementos. (p. 228)

El cuerpo embarazado, como indicara el poema de Gabriela Mistral, es uno y dos al mismo tiempo, una duplicación que es también una prolongación, una extensión, un doblarse que, para la perspectiva de Kristeva, constituye un pliegue que traspasa todo paradigma, incluido aquel de la Trinidad, postulada como la fusión de tres en una unidad.

Simultáneamente ubicado en la intersección de la naturaleza y la cultura (*locus* no representado en el imaginario cultural de occidente), este cuerpo es sitio de lo heterogéneo, de aquello que, en la dinámica limitante del significante, deviene en estallido, en catástrofe. El concepto de la Trinidad divina, como gran parte de los conceptos desarrollados por el falogocentrismo, se rige por un principio de adición que resulta insuficiente para referirse a la gestación. Dentro de esta lógica dominante, lo múltiple siempre se subsume en una Unidad, concebida como totalidad completa en sí misma. De la misma manera, las diferentes parcelaciones fabricadas por este sistema tienen como objetivo poner en evidencia la presencia de un *corpus*, de una totalidad analizable. En su texto, Kristeva socava las bases mismas de esta lógica al insertar, en el lado izquierdo (femenino) del *corpus* acerca de la Virgen María, una columna fragmentada en la cual elabora un discurso de la maternidad basado en las experiencias de su propio cuerpo. En el texto a la derecha, Kristeva analiza las diferentes adiciones que se van dando en la configuración del signo consagrado de la Virgen a través de los siglos, larga evolución histórica a la que se contrapone el FLASH, en su connotación de luz súbita, de segundo fugaz que es también "Flash de un innombrable, tejidos de abstracciones que hay que desgarrar" (p. 210); Verbo/Flesh de visiones fragmentadas y metáforas de lo invisible.

De este modo, el significado canónico del "Stabat Mater", como canto en coro a los sufrimientos de María, se modifica por la contraposición de dos voces, de dos discursos en una constante tensión que no se resuelve. Es más, creemos que la columna de la izquierda representa sólo una brecha que interrumpe y desestabiliza, sin alcanzar a configurar un verdadero dialogismo.[30] La metáfora poética, cargada de un potencialidad oximorónica, es en sí misma una catástrofe, el remezón dado a la aparentemente sólida columna del Verbo canonizado. Así, al tiempo histórico lineal que ha ido acumulando atributos alrededor de la Virgen María, como representación consagrada de la maternidad, se opone "el instante del tiempo o del sueño sin tiempo" (p. 209) de la gestación del embrión, todavía informe e invisible para un lenguaje que sólo puede aludir a él metafóricamente. De esta manera, si, en la apropiación masculina de lo Materno, la Virgen es eximida del sexo y de la muerte para configurar una Totalidad ideal y única que se distingue de lo humano, en la enunciación de lo Materno, como experiencia del propio cuerpo, dicha totalidad estalla en signos poéticos que lo configuran como lo no representable.

Por otra parte, el cuerpo virginal reducido al oído, las lágrimas y el pecho en un cubrir de velos y de mantos que rebajan la sexualidad a sobre-entendido, se contrapone a la topografía grávida de un cuerpo que es inconmensurable, ilocazible. Se dice:

> Por un lado la pelvis: centro de gravedad, tierra inmutable, sólida columna, gravedad y peso a los que se adhieren los muslos, a los que nada, a partir de ahora, predestina a la agilidad. Del otro lado el busto, los brazos, el cuello, la cabeza, la cara, las pantorrillas, los pies: vivacidad desbordante, ritmo y máscara que se consagran a compensar la inmutabilidad del árbol central. Vivimos en esta frontera, seres de encrucijada, ser de cruz. Una mujer no es nómada ni cuerpo masculino que sólo se encuentra carnal en la pasión erótica. Una madre es una partición permanente, una división de la propia carne. Y por tanto una división del lenguaje: desde siempre. (p. 224)

Dar a luz, en esta nueva narrativa de la maternidad, difiere, en gran medida, de ese rayo de luz que la imaginación teológica masculina inventó para salvaguardar la virginidad de María, aún en el parto. El hijo quien, al nacer, es dado o entregado a la luz del mundo, es también el progenitor de un desgarro, de una división de la propia carne. Entre el cuerpo materno en cuyo interior crecía y el cuerpo del hijo surge un abismo, ese "pliegue-injerto interno" (p. 224) pasa a la región de un otro inaccesible. El parto es, así, desgarro del cuerpo y desgarro de la identidad, abismo entre lo que fue propio y ahora está irremediablemente separado. Kristeva señala:

Mi cuerpo y . . . él. Ninguna relación. Nada que ver. Y esto desde los primeros gestos, gritos, pasos, mucho antes de que *su* personalidad se haya convertido en mi oponente: el hijo, *él* o *ella*, es irremediablemente otro. Que no hay relaciones sexuales es un pobre atestado ante este relámpago que me deslumbra frente al abismo existente entre lo que fue mío y, a partir de ahora, sólo es irremediablemente ajeno. Intentar pensar en este abismo: alucinante vértigo. Ninguna identidad se tiene en pie. La identidad de una madre sólo se mantiene por el cierre bien conocido de la conciencia en la somnolencia de la costumbre, en la que la mujer se protege de la frontera que divide su cuerpo y la destierra de su hijo. (p. 225)

Anterior a las figuras estáticas de la Madona y la *Mater Dolorosa*, existe, para Julia Kristeva, la condición permanente del destierro y el exilio del propio cuerpo; condición ontológica de una división que no se resuelve ni en la resurrección del hijo ni en la asunción al cielo. División que se reitera en la maternidad escindida entre la experiencia irrepresentable y las elaboraciones sígnicas de un imaginario construido desde una perspectiva masculina ajena; entre lo semiótico fuera de un orden simbólico y lo consciente que produce clausuras y restricciones.

Sin embargo, la mater-narrativa elaborada por Kristeva parece también imponer clausuras y restricciones: la insistencia en la metáfora oximorónica como una posibilidad para enunciar lo "irrepresentable" tiñe a la maternidad de visos herméticos, sólo descifrables en una lectura que requiere un sustrato teórico de carácter sicoanalítico. Es más, el texto de la columna de la izquierda, a medida que avanza, empieza a polucionarse de conceptos que reemplazan lo semiótico, como si éste se dejara vencer por el discurso erudito.

Si bien se podría argüir que dicho proceso pone de manifiesto la tesis de Kristeva con respecto a la carencia de un discurso de la maternidad, por otra parte, también se podría afirmar que nos deja en un callejón sin salida que revierte a los peligros de un esencialismo en el cual la experiencia bio-materna está cargada de abstracciones. Razón por la cual, como ha demostrado Elizabeth Grosz, los planteamientos de Kristeva van dirigidos, como en el caso de Derrida, hacia el desmantelamiento del concepto más general de la identidad en sí.[31] No obstante, en el ámbito de lo filosófico, el discurso de Kristeva provee nuevos planteamientos acerca de la maternidad, éste, pese a sus propósitos, no logra producir figuras que se inserten y modifiquen el imaginario tradicional. En una práctica que parte de la negación, ella ha afirmado que la mujer no puede ser porque ni siquiera pertenece al orden de ser y que lo único factible es rechazar "todo lo finito, definido, estructurado, cargado de significado, en el estado actual de la sociedad".[32] El peligro de esta posición ideológica es, precisamente, que permanezca en el nivel de los significados y estructuraciones de dichas construcciones imaginarias, intentando desmantelarlas desde un horizonte despojado de toda contingencia histórica. Como afirma Teresa de Lauretis, la identidad también se constituye en un proceso histórico de conciencia, un proceso en el cual la propia historia "es interpretada o reconstruida dentro del horizonte de significados y conocimientos disponibles en la cultura en un momento histórico dado, un horizonte que también incluye formas de compromiso y lucha política".[33] Razón por la cual la conciencia, lejos de estar atada de una vez y para siempre, se mantiene en un constante desplazamiento a medida que las fronteras discursivas cambian con las condiciones históricas.

Con las manos en la masa: La inscripción de la cocina y el hacer doméstico como espacios culturales y políticos

Pues ¿qué os pudiera contar, Señora, de los secretos naturales que he descubierto estando guisando? Veo que un huevo se une y fríe en la manteca o aceite y, por contrario, se despedaza en el almíbar; ver que para que el azúcar se conserve fluida basta echarle una mínima parte de agua en que haya estado membrillo u otra fruta agria. .. Por no cansaros con tales frialdades que sólo refiero por daros entera noticia de mi natural y creo que os causará risa pero, Señora, ¿qué podemos saber las mujeres sino filosofías de cocina? Bien dijo Lupercio Leonardo, que bien se puede filosofar y aderezar la cena. Y yo suelo decir viendo estas cosillas: si Aristóteles hubiera guisado, mucho más hubiera escrito.

Sor Juana Inés de la Cruz

Desde un espacio cultural marcado por la heterogeneidad y las tácticas de los grupos subalternos, algunas feministas latinoamericanas han optado, no por la negación sino por el rescate de una sub-cultura de la mujer en su rol primario de madre y esposa en el espacio de la casa. Como en el caso de Sor Juana Inés de la Cruz, se intenta de este modo anular las parcelaciones impuestas al Saber borrando la disyunción entre el cocinar y el filosofar. El hacer doméstico ha sido generalmente devaluado en nuestra cultura por considerarse que carece de trascendencia histórica o metafísica. Para una perspectiva centrada en la producción visible de mercado, coser, bordar o cocinar son actividades que, de ningún modo, contribuyen a la transformación efectiva del mundo. Sin embargo, en un proceso de revaloración de lo doméstico, cabe preguntarse qué implicaciones han tenido estas actividades en una relación cuerpo-mundo que se realiza à partir de un ser y un estar en el espacio cerrado y "ahistórico" de la casa.

Como agente de un Hacer que se consume o desbarata rápidamente día a día, la mujer está fuera de todo proceso de monumentalización que aspira a ser eterna. Su Hacer funciona, además, en los márgenes de toda categoría de valor de cambio; hacer y rehacer son parte de una praxis que no posee el tipo de gratificación creativa asignada por Marx al *Homo Economicus*, por cuanto no estaría modificando el entorno natural para producir cultura. Sin embargo, la actividad manual en el espacio doméstico, indudablemente, constituye una praxis cultural que, sólo ahora, comienza a ser elaborada por discursos que la legitimizan.

En primer lugar, habría que inquirir con respecto al tipo de relación que se establece entre el sujeto agente y la materia en sus transformaciones culinarias a través de una actividad que, trascendiendo el nivel práctico inmediato, posee además dimensiones creativas, hasta ahora únicamente atribuidas a la figura masculina del Chef en un restaurant de lujo. En el espacio de la casa, la relación de este sujeto con los objetos que se sacuden y se lavan en una rutina diaria, parece también regirse por otro tipo de temporalidad que se distingue de lo convencionalmente definido como devenir histórico. Relaciones que, por otra parte, implican modos diferentes de un conocer el cual fluye en los márgenes de las epistemologías dominantes. Es más, el saber en el ámbito de lo doméstico no sólo provee paradigmas alternativos para el conocer sino también para otro tipo de acercamiento hacia lo espiritual, como señalara Santa Teresa de Avila al decir que Dios también andaba en los pucheros. Parafraseando a Freud, se podría decir que, en ese continente negro de camas deshechas, niños por alimentar, hilos multicolores y artefactos caseros, subyace una cultura inexplorada.

Por lo tanto, no es fortuito el hecho de que, ya a partir de Sor Juana Inés de la Cruz, haya surgido, en Latinoamérica, una imaginación femenina que ha hecho del espacio doméstico un *locus* con dimensiones representacionales y simbólicas. En las pinturas de Remedios Varo y Leonora Carrington, la casa y, especialmente la cocina, se impregna de una atmósfera mágica en la cual la mujer, con su habilidad manual y su sabiduría, se representa como una alquimista. Gabriela Mistral, en su poema titulado "Sal", hace de la relación entre Mujer y Materia un reencuentro con los orígenes y una denuncia de su condición de cautiva con la potencialidad de transgredir el orden patriarcal: "Ambas éramos de las olas/ y sus espejos de salmuera,/ y del mar libre nos trajeron/ a una casa profunda y quieta;/ y el puñado de Sal y yo, / en beguinas o en prisioneras,/ las dos llorando, las dos cautivas,/ atravesamos por la puerta...". Durante la década de los cincuenta, Rosario Castellanos y Amparo Dávila, por otra parte, elaboraron, en algunos de sus cuentos, un imaginario en el cual el acto de cocinar se entreteje en la existencia subordinada de las protagonistas como significante subversivo de la sexualidad femenina.

De esta larga aunque escueta tradición cultural, ha surgido, en estos últimos años, toda una producción que intenta insertar lo tradicionalmente cotidiano y femenino en el ámbito de la cultura oficial. Así, en una reelaboración feminista de la relación Mujer-Cocina, Mariela Alvarez Peñaloza, por ejemplo, dice: "Las mujeres nos trasmutamos dentro de una cocina, la más alba de las ancianas esgrime una cimitarra frente a la infinitud bulbosa de la cebolla y las pasiones de las doncellas se concentran todas en el jugo espeso de la pierna al horno".[34] Modificando la figura decimonónica del "ángel del hogar", Alvarez Peñaloza representa a la mujer cocinando en una relación con la Materia que involucra una transformación pasional. De esta manera, el alimento que se transforma para ser consumido no es simplemente aquello que se cuece, se corta, se pudre y se evapora sino también la materia que transmuta a la mujer, sacándola de su rol pasivo y subordinado.

Dentro de este contexto en el cual se realizan reinscripciones culturales de lo doméstico, la cocina se ha transformado también en metáfora de la escritura y del quehacer crítico. Rosario Ferré en "La cocina de la escritura", utiliza esta metáfora del cocinar para explicar la génesis y los procesos de su creación narrativa contradiciendo, irónicamente, aquellas prolíferas fabulaciones masculinas que se refieren a la creación artística como sinónimo del parto.[35] Y

Debra Castillo, en su reciente libro acerca de las escritoras latinoamericanas, inserta en su *corpus* teórico, una serie de metáforas culinarias que modifican al típico discurso crítico, tan proclive a las abstracciones falogocéntricas.[36] En este sentido, nos parece que Laura Esquivel en *Como agua para chocolate* ha logrado hacer del cocinar una actividad legítimamente cultural en los centros hegemónicos, considerando el éxito que ha tenido su novela y el film basado en la misma. La receta, aquel texto en hoja suelta que circula entre las mujeres, se transforma aquí en preámbulo narrativo de cada capítulo. Preámbulo que, en la subcultura de la mujer mexicana, posee una larga tradición tanto en los manuscritos coloniales anónimos, creados y mantenidos en los conventos como en los textos que recopilan la tradición culinaria de una familia a través de diversas generaciones. Tal es el caso de *Cuaderno de guisados. Soy de María León de Gómez*, del siglo XVII y XIX, y *Recopilación de recetas y guisados de Emilia Priani*, manuscrito en libreta de pasta dura, fechado en 1864.[37] En la novela de Esquivel, el discurso de la receta recoge esta tradición y, a modo de un coro griego, anuncia los sucesos que se desarrollarán alrededor del eje del cocinar, como actividad teñida de sensualidad y magia.

En los cuarteles oficiales de la cultura de occidente, se han extraído sistemáticamente espacios parciales del Hacer para constituir disciplinas separadas de lo cotidiano, tal es el caso de la política, la ciencia y la filosofía. Las elaboraciones comentadas anteriormente, en una estrategia cultural y social, no sólo intentan borrar la escisión falogocéntrica entre "lo doméstico" y "lo trascendental" sino que también modifican los significados tradicionales atribuidos a la mujer en sus quehaceres domésticos. Lejos de ser la manufactora que, de modo automático y pasivo, se dedica a realizar las labores del hogar, en estos discursos, se destaca como un sujeto creativo e imaginativo, inserto en actividades domésticas que poseen la potencialidad de constituirse en fermento engendrador de una praxis cultural.

De otras historias y otras vírgenes

Yo, que he escuchado todo lo que me has dicho, he logrado intuir, comprender, formalizar aquello que no has podido, no has querido, ni tuviste cómo decir.

Sonia Montecino

Intimamente unida a las parcelaciones y jerarquizaciones impuestas sobre el Hacer cultural, se encuentra la memoria oficial configurada por textos canónicos, archivos y objetos que tienen como propósito formar y reforzar una identidad, tanto a nivel nacional como individual. Esta memoria oficial corresponde a una acumulación hecha a partir del ejercicio de un poder que intenta ser hegemónico y, como tal, se encuentra en la intersección formada por el género sexual, la raza y la estratificación social. Por debajo de la memoria oficial, ha fluido una miríada de historias y objetos en el cauce efímero de la marginalidad. Las mujeres, como otros grupos subordinados, no hemos tenido acceso a nuestra memoria, excepto aquella que se mantiene dentro de la familia. En una condición de Otro cuyo *ethos* ha sido mutilado por el silencio y el olvido, somos seres despojados de voces y monumentos propios, de figuras heroicas y artefactos memorables.

Textos como *Si me permiten hablar* (1976), *Hasta no verter Jesús mío* (1969) y *Me llamo Rigoberta Menchú y así me nació la conciencia* (1983) constituyen el rescate de esta memoria olvidada. Son también el testimonio de una solidaridad entre mujeres pertenecientes a clases sociales y etnias diferentes. La amanuense que registra el relato oral de otra mujer, no sólo asume una conciencia con respecto a su situación subordinada de Otro sino que también se interesa por conocer y comprender a la mujer desposeída, en su posición doblemente subalterna de un Otro del Otro. La consecuencia inmediata de esta inscripción escritural yace en la transgresión del concepto burgués y falogocéntrico de "lo literario" puesto que, al escribir los detalles de una cotidianidad femenina, se está insertando en el espacio tradicional de la imaginación masculina, lo que canónicamente "no merece ser contado". Se inscriben, así, los aspectos silenciados y no valorados de las sub-culturas de la pobreza, de los indígenas y de los trabajadores representando, simultáneamente, una condición de ser mujer que modifica y contradice las configuraciones patriarcales dominantes.

Las transformaciones antes apuntadas corresponden, en términos generales, a todo texto que, con un objetivo testimonial, rescata a la palabra dicha para fijarla y difundirla a través de la escritura. Sin embargo, nos interesa destacar la especificidad que arranca directamente de la situación genérica que enlaza, a nivel del devenir histórico, a dos mujeres que fueron escindidas por factores raciales, sociales y económicos. El caso de Rigoberta Menchú y Elizabeth Burgos, por ejemplo, pone en evidencia el hecho de que dicha relación modifica, de manera significativa, las jerarquías establecidas entre investigador e informante. Omitiendo las formalidades de una entrevista basada en cuestionarios que poseen un valor hermenéutico, la relación entre ambas se afianzó a través de la actividad de cocinar tortillas y frijoles.[38] Por otra parte, Elena Poniatowska ha contado cómo ayudaba a Jesusa Palancares en los oficios domésticos mientras conversaban cada miércoles en la tarde durante dos años.

En un proceso de interiluminación, el relato oral permite a la amanuense no sólo una reflexión acerca de la compleja y heterogénea situación de la mujer sino también un cambio cualitativo con respecto al propio ser. Sub-texto que se hace evidente en las palabras de Elizabeth Burgos quien afirma: "Sólo me resta agradecer a Rigoberta el haberme concedido el privilegio de este encuentro y haberme confiado su vida. Ella me ha permitido descubrir ese otro-yo misma. Gracias a ella mi yo americano ha dejado de ser 'una extrañeza inquietante'". (p. 18) De modo similar, la vida de Jesusa Palancares, confiada en la batea o mientras alimentaban a los pollos, produjo en Elena Poniatowska un nuevo sentido para su propia identidad. La escritora mexicana cuenta:

Mientras ella hablaba surgían en mi mente las imágenes, y todas me producían una gran alegría. Me sentía fuerte de todo lo que no he vivido. Llegaba a mi casa y les decía: 'Saben, algo está naciendo en mí, algo nuevo que antes no existía', pero no contestaban nada. Yo les quería decir: 'Tengo cada vez más fuerza, estoy creciendo, ahora sí voy a ser una mujer'. Lo que crecía o a lo mejor estaba allí desde hace años era el ser mexicana: el hacerme mexicana: el sentir que México estaba dentro de mí y que era el mismo que el de la Jesusa y que con sólo abrir la rendija saldría [. . .] Una noche, antes de que viniera el sueño, después de identificarme largamente con la Jesusa y repasar una a una todas sus imágenes, pude decirme en voz baja: 'yo sí pertenezco'.[39]

Conocer la historia de otra mujer que ha vivido en los márgenes de la cultura urbana europeizada permite el acceso a otra faceta de lo americano, a un sustrato de la heterogeneidad que deviene también en sustrato de la identidad. En el caso de Domitila Barrios, sus testimonios no sólo evidencian la fuerza de la mujer para soportar vejaciones sino que también proveen conocimiento acerca de diversas estrategias del débil para socavar el poder. Por otra parte, la indagación de Sonia Montecino en *Mujeres de la tierra* da paso a una comprensión del rol de la madre en su modalidad de *lalén kuzé*, madre-araña que, en la cultura mapuche, tensiona el vellón del hilado en una contrarrespuesta a la figura mitificada del padre.

Todas estas historias de mujeres configuran un contratexto que hace estallar al signo mujer en una multiplicidad que no admite abstracciones ni esencialismos. La contribución del feminismo latinoamericano radica, precisamente, en su énfasis en una heterogeneidad, nunca ajena a los procesos históricos. Ser mujer en nuestro continente rebasa y excede aquellas construcciones culturales que intentan definir y fijar con la intención de mantener un orden. En estas últimas décadas, la mujer, como artesana de historias que se contraponen a la Historia oficial, ha contado cosiendo pedazos de tela en una arpillera, o escribiendo con letras de imprenta su denuncia. "La vida les dimos y con vida los queremos" decían los carteles que llevaban las Madres de Plaza de Mayo, versiones latinoamericanas de la *Mater Dolorosa*. En una valiosa estrategia de descontextualización que desplazó a la madre de la casa a la calle, estas mujeres abandonaron el espacio doméstico para interpelar un orden político de carácter fascista. Simultáneamente, utilizaron los símbolos patriarcales atribuidos a la madre, como ser sublime e indefenso, en una reapropiación que les permitía actuar, no como el enemigo sino como las depositarias primordiales de la vida.[40]

Es también la heterogeneidad latinoamericana la que ha permitido explorar, desde una nueva perspectiva feminista, un imaginario del mestizaje en el cual la mujer se representa con una autonomía y poder que la distingue de las imágenes construidas en la cultura europea. La violación de la mujer indígena por el conquistador español es el umbral de un sincretismo que se expresa en una proliferación de vírgenes. La Virgen de Guadalupe, aparecida a Diego en 1531, le habla en idioma indígena y se multiplica incorporando siempre lo exógamo a las culturas europeas: Nuestra Señora de Copacabana y Nuestra Señora del Rosario en Perú, la Virgen de Chiquinquará en Colombia y Nuestra Señora de la Caridad del Cobre en Cuba, son sólo algunas. Y, en sus versiones populares, María Lionza en Venezuela, la Llorona en México o la Difunta Correa en Argentina. Todas imágenes icónicas que se erigen como relato fundante del continente latinoamericano que se reactualiza constantemente a través de festividades y peregrinaciones. Ella, como madre común, aglutina a nivel de la experiencia religiosa, una diversidad racial y social que, a nivel ideológico, se mantiene escindida por el poder blanco hegemónico.

Como eje de una memoria colectiva en la cual la violación de la madre indígena ha devenido posteriormente en la instauración de "la casa chica" y la proliferación de hijos ilegítimos, la imagen de estas múltiples vírgenes se tiñe de ribetes que modelizan la capacidad de la mujer para sostener una familia en una autonomía que contradice los mitos y estereotipos de la metanarrativa patriarcal. Al respecto Sonia Montecino señala:

Aquí vemos una brecha entre las alegorías marianas de Europa y Latinoamérica. Postulamos que en América Latina hay una "autonomía" de la divinidad femenina. La Virgen mestiza es una diosa-madre, más que intercesora o mediadora, es un poder en sí mismo. De este modo, su "sumisión" al Dios Padre (o al Espíritu Santo) y al Hijo no es tan evidente. En cuanto a la "triple metamorfosis" de María (Madre, Hija, Esposa) encontramos de que ésta se ha privilegiado en nuestros territorios, el estado de madre. A través de la iconografía podemos elucidar también, que su figura está más detenida en las representaciones con el niño, y menos ligada con los episodios de la Pasión y la Muerte de Jesucristo.[41]

En el contexto plural de historias e imágenes que representan a la mujer latinoamericana quien, en la actualidad, rescata relatos conventuales de la Colonia y otros discursos producidos a nivel de sub-cultura, la heterogeneidad parece constituir en sí un flujo transgresivo. Contradiciendo la lógica del significante que envuelve en una categoría única, las fragmentaciones del signo mujer lo desterritorializan. El sentido etimológico de la palabra "transgredir" alude a un cruzar fronteras para entrar a un territorio nuevo. Cruzar, en el contexto del feminismo latinoamericano y el feminismo norteamericano en el cual se empiezan a elevar las voces de los grupos minoritarios, significa no sólo hacer cruces y tachar los espacios sígnicos creados por las diversas modalidades ideológicas del poder patriarcal. Significa, también, deslegitimizar la lógica abstractizante del signo en un mecanismo de dominio. Y, tal vez, éste sea el umbral de una liberación afincada en el devenir histórico que deseamos modificar.

Mujer y escritura en Latinoamérica

Palabras de mujer llevan la firma del viento.

Lope de Vega

La afirmación de Lope de Vega debe entenderse en el contexto de una fase histórica de la estructura patriarcal que adscribía a las palabras de las mujeres un carácter efímero. Dichas palabras catalogadas como *doxa* (opinión sin importancia) o cháchara vacía efectivamente se perdían en el viento o, si de manera excepcional quedaban impresas en un texto, no recibían la atención debida. Dentro de estas circunstancias ideológicas, el hecho de que algunas escritoras del siglo XIX firmaran sus obras utilizando un seudónimo masculino deja de ser simplemente una anécdota curiosa. El seudónimo o antifaz masculino correspondía, en efecto, a una estrategia que permitía entrar en un ámbito editorial de carácter exclusivista. De allí que la escritora cubana Gertrudis Gómez de Avellaneda denunciara, con cierta ironía acerba, esta discriminación que forzaba a las escritoras a utilizar el recurso del enmascaramiento; en su ensayo sobre la mujer publicado en 1860, afirma: "Si la mujer—a pesar de estos y otros brillantes indicios de su capacidad científica—aún sigue proscrita del templo de los conocimientos profundos, no se crea tampoco que data de muchos siglos su aceptación en el campo literario y artístico: ¡Ah! ¡no! también ese terreno le ha sido disputado palmo á palmo por el exclusivismo varonil, y aún hoy día se la mira en él como intrusa y usurpadora, tratándosela, en consecuencia, con cierta ojeriza y desconfianza, que se echa de ver en el alejamiento en que se la mantiene de las academias *barbudas*".[42]

La denuncia de Gertrudis Gómez de Avellaneda no perdió del todo su vigencia hasta pasada la primera mitad del siglo XX. Como ha demostrado Celia Correas de Zapata en su estudio titulado "Escritoras latinoamericanas: Sus publicaciones en el contexto de las estructuras de poder",[43] durante esta época, tras los prejuicios visibles de la empresa editorial y de la crítica, subyacía un complejo desfase entre la perspectiva y los valores postulados en la producción literaria de un grupo hegemónico masculino y aquéllos elaborados por las escritoras. Desfase que, a nivel de la crítica, se reiteraba en un proceso que canonizaba aquellos textos que ficcionalizaban "lo nacional", "lo público", "lo histórico" y "lo trascendental"; relegando los escritos de mujer a la esfera de "lo íntimo", "de lo introspectivo típico del alma femenina". Así, en las numerosas historias y antologías de la literatura latinoamericana que se publicaron durante estos años, un recuento estadístico revela que, generalmente, se incluye y comenta un término medio de doscientos escritores en contraposición a sólo una docena de escritoras.

Significativamente, hacia 1970, las reediciones de algunos de estos textos, como es el caso de la *Breve historia de la novela hispanoamericana* de Fernando Alegría, incorporaron un mayor número de escritoras a modo de suplemento o notas al pie de la página. Márgenes y adiciones que pusieron de manifiesto el hecho de que las actividades intelectuales feministas empezaban a abrir brechas importantes, a pesar de aún permanecer en la periferia de los centros de producción cultural. Al referirse a la especificidad de este nuevo saber producido por las mujeres, Julieta Kirkwood ha dicho acertadamente: "Se ha producido con respecto de las mujeres, como con otras categorías marginadas, una expropiación del saber. Y tal vez por eso en ocasiones el saber recreado por las mujeres presenta aires de 'bricolage': se toman conceptos de otros saberes y contextos, atribuyéndoseles un sentido diferente".[44]

Estos procesos de expropiación del saber se han desarrollado paralelamente a una reapropiación de los medios de comunicación. El éxito editorial de *Hacia una ciencia de la liberación de la mujer*, importante estudio sociológico de lo doméstico y la doble jornada, escrito por Isabel Larguía, con una primera edición en Caracas en 1975 y una reedición en Barcelona en 1976, forma parte de un nuevo fenómeno de difusión que, hacia la década de los noventa, alcanza un lugar relevante. El trabajo editorial de Elena Urrutia en México quien, hacia 1977, fundara la revista *Fem*, que hasta hoy continúa publicándose regularmente, forma parte de una serie de otras revistas, tales como *Isis Internacional* y *Feminaria*. Por otra parte, la creación de centros editoriales como "Cuarto Propio" en Chile, han contribuido a una señera labor de diseminación.

Contradiciendo la aserción de Lope de Vega, las palabras de mujer, en este nuevo contexto latinoamericano, ya no se pierden en el viento. Trascendiendo la argumentación de que la literatura no tiene sexo, en una obvia simplificación de toda producción cultural, críticas como Gabriela Mora, Monserrat Ordóñez y Eliana Rivero realizaron, durante la década de los años setenta, un trabajo teórico que puso de manifiesto la importancia del factor genérico en la escritura. Desde esta nueva plataforma, el discurso autobiográfico de Sor Juana Inés de la Cruz, por ejemplo, revela el carácter subversivo del candor y lo doméstico, como "las tretas del débil" en el excelente análisis de Josefina Ludmer.[45]

En el nuevo discurso crítico latinoamericano, la perspectiva feminista no sólo ha significado el rescate o revaloración de los textos creados por la mujer sino también un serio inquirir en la problemática de la identidad. Así, Helena Araújo utiliza la metáfora de la Scherezada criolla para referirse a la especificidad de la escritora latinoamericana afirmando:

Scherezada sería un buen sobrenombre kitch para la escritora del continente. Porque como Scherezada, ha tenido que narrar historias e inventar ficciones en carrera desesperada contra un tiempo que conlleva la amenaza de la muerte: muerte en la pérdida de la identidad y en la pérdida del deseo. Muerte-castigo. Seguramente también la latinoamericana ha escrito desafiando una sociedad y un sistema que imponen el anonimato. Ha escrito sintiéndose ansiosa y culpable de robarle horas al padre o al marido. Sobre todo ha escrito siendo infiel a ese papel para el cual fuera predestinada, el único, de madre. Escribir, entonces, ha sido su manera de prolongar una libertad ilusoria y posponer una condena.[46] La imagen de Scherezada, según los planteamientos de Helena Araújo, representa a la escritora latinoamericana en una circunstancia histórica que, evidentemente, empieza a perder vigencia. La imposición de la maternidad como único rol social o la condena al anonimato son, para las escritoras actuales, eslabones que han dejado de existir. Su escritura, en un nuevo devenir que le permite participar activamente en la cultura, constituye el engendro de otras historias que modificarán, de manera significativa, los rasgos evolutivos del signo mujer analizado en este estudio.

Notas

[1]Mercedes Cabello de Carbonera bajo el seudónimo de Enriqueta Pradel. "Influencia de la mujer en la civilización", *El Album: Revista Semanal para el Bello Sexo*, Lima, sábado 8 de agosto de 1874, No 12, pp. 89-90.

[2]Gertrudis Gómez de Avellaneda. "La mujer: Artículos publicados en un periódico en el año de 1860, y dedicado por la autora al bello sexo". *Obras literarias de la señora Doña Gertrudis Gómez de Avellaneda*, tomo V, Madrid: Imprenta y Estereotipia de M. Rivadeneyra, 1871, p. 290.

[3]Lola Rodríguez de Tió. "La influencia de la mujer en la civilización", *Obras Completas*. San Juan: Instituto de Cultura puertorriqueña, 1971, vol. IV, pp. 214-217.

[4]Declaración publicada en *La Voz del Obrero* (Montevideo), vol. IV, No 18 [mayo 1910], p. 3.

[5]Paulina Luisi. *Acción Femenina*. (Montevideo), vol. III, No 2 [abril 1919], pp. 31-32.

[6]Alicia Moreau. "El feminismo y la evolución social", *Humanidad Nueva*, vol. III, No 4 (1911), pp. 356-375.

[7]En estos estudios, publicados en la década de los setenta, por primera vez se demuestra, de manera fehaciente, que las mujeres pertenecientes a partidos políticos, generalmente, ocupan cargos secundarios y se dedican a funciones que duplican su rol doméstico, ya sea como secretarias, organizadoras de fiestas o supervisoras de las finanzas y la limpieza. (Elsa Chaney. *Supermadre, Women in Politics in Latin America*. Austin: The University of Texas Press, 1979. Evelyn P. Stevens. "The Prospects for Women's Liberation Movement in Latin America", *Jour-

nal of the Marriage and the Family, vol. 35, No 2 [mayo 1973], pp. 313-321).

[8]Gabriela Mistral. Lectura para mujeres. México: Secretaría de Educación Pública, 1990, p. 4.

[9]Victoria Ocampo. "Carta a Virginia Woolf", Testimonios. Madrid: Revista de Occidente, 1935, p. 67.

[10]Victoria Ocampo. "La mujer y su expresión", Sur, Año V, No 11 [agosto 1935], p. 36.

[11]Federico Engels. El origen de la familia, de la propiedad privada y del Estado. Madrid: Editorial Fundamento, 1970, p. 75.

[12]Simone de Beauvoir. El segundo sexo. Buenos Aires: Ediciones Siglo XX, 1962, p. 168.

[13]Rosario Castellanos. "La tristeza del mexicano", El uso de la palabra. México: Excelsior, 1974, p. 177.

[14]Rosario Castellanos. "La participación de la mujer mexicana en la educación formal", Mujer que sabe latín. México: Fondo de Cultura Económica, 1984, p. 25.

[15]Para un resumen de los fundamentos teóricos y metodológicos de la Historia Feminista consultar, por ejemplo, el ensayo de Joan Kelly-Gadol titulado: "The Social Relation of the Sexes: Methodological Implications of Women's History" publicado en The Signs Reader: Women, Gender, and Scholarship editado por Elizabeth Abel and Emily K. Abel. (Chicago: The University of Chicago Press, 1983, pp. 11-25).

[16]Evelyn Fox-Keller. Reflections on Gender and Science. New Haven: Yale University Press, 1985.

[17]Hélène Cixous. Prénoms de personne. París: Editions du Seuil, 1974, p. 4. La traducción es mía.

[18]Chantal Chawaf. "La chair linguistique" publicado originalmente en Nouvelles littéraires (26 de mayo de 1976) y reproducido en New French Feminisms editado por Elaine Marks e Isabelle Courtivron. Nueva York: Schocken Books, 1981, pp. 177-178. La traducción es mía.

[19]Los textos claves para comprender esta asociación entre lo semiótico y lo femenino, en la teoría de Kristeva, son los siguientes: La Révolution du langage poétique (París: Editions du Seuil, 1974), Polylogue (París: Editions du Seuil, 1977) y "Un Nouveau type d'intellectuel" (Tel Quel 74, invierno 1977, pp. 5-6)

[20]Para una excelente discusión crítica de este aspecto en la teoría de Irigaray, se puede consultar el libro de Toril Moi titulado Sexual/Textual Politics: Feminist Literary Theory (Nueva York: Methuen, 1985, pp. 127-149).

[21]Luce Irigaray. This Sex Which Is Not One. Ithaca: Cornell University Press, 1985, p. 30. La traducción es mía.

[22]Al respecto, consultar, por ejemplo, el valioso estudio de Catherine Johns titulado Sex or Symbol: Erotic Images of Greece and Rome. (Austin: University of Texas Press, 1982).

[23]Consultar su ensayo "On the Maternal Order" en su libro titulado

je, tu, nous: Toward a Culture of Difference. Nueva York: Routledge, 1993, pp. 37-44.

[24]Adrienne Rich. *Of Woman Born.* Nueva York: Bantam, 1977, p. 292.

[25]Mary Daly. *Gyn/Ecology.* Boston: Beacon, 1978.

[26]Para una visión panorámica de las corrientes feministas actuales y sus limitaciones, consultar el ensayo de Linda Alcoff, originalmente publicado en *Signs* y reproducido en *Feminaria* bajo el título "Feminismo cultural versus pos-estructuralismo: La crisis de la identidad en la teoría feminista". (Año II, No 4, noviembre 1989, pp. 1-18).

[27]Nancy Chodorow, partiendo de una perspectiva sicoanalítica, hace importantes revisiones de los paradigmas patriarcales en su libro *The Reproduction of Mothering: Psychoanalysis and the Sociology of Gender.* (Berkeley: University of California Press, 1979).

[28]En nuestra opinión, el ensayo de Lucía Piossek Prebisch titulado "La mujer y la filosofía", es un texto clave, no sólo por sus interesantes postulaciones que se adelantan a los discursos de la maternidad elaborados en Europa y Estados Unidos, sino también por analizar los factores que han prevenido a la mujer de hacer filosofía. (*Sur*, Nos 326-328 [septiembre 1970-junio 1971], pp. 95-101).

[29]Julia Kristeva. Este ensayo llamado "Herética del amor" fue originalmente publicado en la revista *Tel Quel* en 1977 y posteriormente, Kristeva lo incluyó en su libro *Historias de amor* con el título "Stabat Mater" (México: Siglo XXI Editores, 1987, pp. 209-231). Esta cita corresponde a la página 210.

[30]En este sentido, diferimos de la opinión de Marilyn Edelstein quien propone que el texto posee una estructura dialógica en su ensayo "Metaphor, Meta-Narrative, and Mater-Narrative in Kristeva's 'Stabat Mater'" incluido en el libro *Body/Text in Julia Kristeva* editado por David R. Crownfield. (Albany: University of New York Press, 1992, pp. 27-52).

[31]Elizabeth Grosz. *Sexual Subversions: Three French Feminists.* Sydney: Allen and Unwin, 1989.

[32]Julia Kristeva. "Oscillation between Power and Denial" en *French Feminisms* editado por Elaine Marks e Isabelle Courtivron, Nueva York: Schocken Books, 1981, pp. 166.

[33]Teresa de Lauretis desarrolla este concepto en su antología *Feminist Studies/Critical Studies.* (Bloomington: Indiana University Press, 1986, p. 8).

[34]Mariela Alvarez Peñaloza. "Consejos para cocineras" publicado en *Bordando sobre la escritura.* (México: Secretaría de Educación Pública, 1984, p. 157).

[35]Rosario Ferré. "La cocina de la escritura", *La sartén por el mango* editado por Patricia Elena González y Eliana Ortega. Río Piedras, Puerto Rico: Ediciones Huracán, 1984, pp. 133-154.

[36]Debra Castillo. *Talking Back: Toward a Latin American Feminist Criticism.* Ithaca: Cornell University Press, 1992.

[37]Para una documentación muy completa acerca de la cultura culinaria creada y mantenida por la mujer, se puede consultar el sobresaliente libro de Josefina Muriel titulado *Cultura femenina novohispánica* (México: Universidad Autónoma de México, 1982).

[38]En su introducción, Elizabeth Burgos nos cuenta: "'Nosotros no confiamos más que en los que comen lo mismo que nosotros', me dijo un día en que trataba de explicarme las relaciones de las comunidades indias con los miembros de la guerrilla. Entonces comprendí que había ganado su confianza. Esta relación establecida oralmente demuestra que existen espacios de entendimiento y correspondencia entre los indios, blancos o mestizos: las tortillas y las judías negras nos habían acercado, ya que estos alimentos despertaban el mismo placer en nosotras, movilizaban las mismas pulsiones" (*Me llamo Rigoberta Menchú y así me nació la conciencia*, México: Siglo Veintiuno Editores, 1985, pp. 13-14).

[39]Elena Poniatowska. "*Hasta no verte Jesús mío*: Jesusa Palancares", *Vuelta* 24 (noviembre 1978), p. 8.

[40]Es importante, además, señalar que estas experiencias engendraron un *corpus* literario de gran valor antologizado en el libro *Cantos de vida, amor y libertad* de Madres de Plaza de Mayo. (Buenos Aires: Rafael Cedeño Editor, 1981).

[41]Sonia Montecino. *Madres y huachos: Alegorías del mestizaje chileno.* Santiago, Chile: Editorial Cuarto Propio, 1991.

[42]Gómez de Avellaneda. Op. Cit., p. 303.

[43]Este ensayo fue publicado en *Revista Iberoamericana*, Nos 132-133 (julio-diciembre 1985), pp. 591-603.

[44]Julieta Kirkwood. *Ser política en Chile: Los nudos de la sabiduría feminista.* Santiago, Chile: Editorial Cuarto Propio, 1990, p. 226.

[45]Josefina Ludmer. "Tretas del débil" ensayo publicado en *La sartén por el mango.* Op. Cit., pp. 47-54.

[46]Helena Araújo. *La Scherezada criolla: Ensayos sobre escritura femenina latinoamericana.* Bogotá: Universidad Nacional de Colombia, 1989, p. 33.

BIBLIOGRAFIA

Fuentes Primarias

Acosta de Samper, Soledad. *La mujer en la sociedad moderna*. París: Garnier. Hermanos, Libreros-Editores, 1895.

Alvarez Peñaloza, Mariela. "Consejos para cocineras", *Bordando sobre la escritura*. México: Secretaría de Educación Pública, 1984, pp. 150-158.

Anton, Ferdinand. *La mujer en la América Antigua*. México: Editorial Extemporáneos, 1975.

Aristóteles. *De generatione animalium*. Oxford: Clarendon Press, 1972.

– *Política* ed. por Manuel Briceño Jauregui e Ignacio Restrepo Abondano. Bogotá: Instituto Caro y Cuervo, 1989.

Bacon, Francis. *Advancement of Learning and Novum Organum*. Londres: George Routledge & Sons, 1905.

Beauvoir, Simone de. *El segundo sexo*. Buenos Aires: Ediciones Siglo XX, 1962.

Breton, André. *Manifiestos del surrealismo*. Madrid: Ediciones Guadarrama, 1969.

– *Arcane 17*. París: Jean-Jacques Pauvert, 1971.

Burgos, Elizabeth. *Me llamo Rigoberta Menchú y así me nació la conciencia*. México: Siglo Veintiuno Editores, 1985.

Cabello de Carbonera, Mercedes. "Influencia de la mujer en la civilización", *El Album*. *Revista Semanal para el Bello Sexo*, Año I, No 12 (Lima), 8 de agosto de 1874, pp. 89-90.

Castellanos, Rosario. "La tristeza del mexicano", *El uso de la palabra*. México: Excelsior, 1974.

– *Mujer que sabe latín*. México: Fondo de Cultura Económica, 1984.

Castillo, Debra. *Talking Back: Toward a Latin American Feminist Criticism*. Ithaca: Cornell University Press, 1992.

Cixous, Hélène. *La Jeune Née*. París: Union d'Editions Générale, 1975.

– *Prénoms de personne*. París: Editions du Seuil, 1974.

– "The Laugh of the Medusa", *Signs*, 1, 1976, pp. 875-899.

– "Castration or Decapitation?", *Signs*, 7, I, pp. 41-55.

– "La Venue de l'écriture". París: UGE, 10/18, 1979.

Chawaf, Chantal. "La chair linguistique", *New French Feminisms* editado por Elaine Marks e Isabelle Courtivron. Nueva York:

Schocken Books, 1981, pp. 172-180.

Chodorow, Nancy. *The Reproduction of Mothering: Psychoanalysis and the Sociology of Gender*. Berkeley: University of California Press, 1979.

Comte, Auguste. *General View of Positivism* compilado por J. H. Bridges. Stanford: University of Stanford Press, s/f.

— *Cours de philosophie positive*. París: Herrman, 1975.

Daly, Mary. *Gyn/Ecology*. Boston: Beacon, 1978.

Darwin, Charles. *The Descent of Man*. Adelaide, Australia: Griffin Press, 1971.

Derrida, Jacques. *Spurs: Nietzsche's Styles*. Chicago: The University of Chicago Press, 1978.

— *Dissemination*. Chicago: The University of Chicago Press, 1981.

— "Women in the Beehive: A Seminar with Jacques Derrida", *Men in Feminism* editado por Alice A. Jardine y Paul Smith. Nueva York: Methuen, 1987, pp. 180-205.

Descartes, René. *Obras filosóficas de René Descartes*. Madrid: Biblioteca Perojo, 1878.

— *Cartas. Cristina de Suecia, Isabel de Bohemia*. Madrid: Adán, 1944.

Ellis, Havelock. *Man and Woman: A Study of Secondary and Tertiary SexualCharacters*. Boston: Houghton Mifflin Company, 1929.

Engels, Federico. *El origen de la familia, de la propiedad privada y del estado*. Madrid: Editorial Fundamento, 1970.

Ferré, Rosario. "La cocina de la escritura", *La sartén por el mango* editado por Patricia Elena González y Eliana Ortega. Río Piedras: Ediciones Huracán, 1984, pp. 133-154.

Fray Luis de León. *La perfecta casada*. Barcelona: Montaner y Simón Editores, 1898.

Freud, Sigmund. *Sexuality and the Psychology of Love* editado por Philip Rieff. Nueva York: Macmillan Publishing Co., Inc., 1963.

— *Introducción al narcisismo y otros ensayos*. Madrid: Alianza Editorial, 1973.

— *El malestar de la cultura* en edición de Néstor A, Braunstein bajo el título *A medio siglo del malestar de la cultura*. México: Siglo Veintiuno Editores, 1981, pp. 13-116.

— "Femininity", *New Introductory Lectures on Psychoanalysis*. Harmonds-worth: Penguin, 1971.

"Génesis", *Sagrada Biblia*. Chicago: La Prensa Católica, 1969, pp. 1 5.

Gómez de Avellaneda, Gertrudis. "La mujer. Artículos publicados en un periódico el año de 1860, y dedicados por la autora al bello sexo", *Obras literarias de la señora Doña Gertrudis Gómez de Avellaneda*, tomo V. Madrid: Imprenta y Estereotipia de M. Rivadeneyra, 1871, pp. 285-306.

Hostos, Eugenio María de. "La educación científica de la mujer", *Páginas escogidas*. Buenos Aires: Angel Estrada y Cía, 1952, pp. 81-94.

Irigaray, Luce. *Speculum de l'autre femme*. París: Minuit, 1974.

– *This Sex Which Is Not One*. Ithaca: Cornell University Press, 1985.

– *Et l'une ne bouge pas sans l'autre*. París: Minuit, 1980.

– *Le Corps-à-corps avec la mère*. Montreal: les éditions de la pleine lune, 1981.

– *Je, tu, nous: Toward a Culture of Difference*. Nueva York: Routledge, 1993.

Jung, Carl G. *La psicología de la transferencia*. Buenos Aires: Editorial Paidós, 1961.

– *The Interpretation of Nature and the Psyche*. Londres: Routledge & K. Paul, 1955.

– *Four Archetypes: Mother/Rebirth/Spirit/Trickster*. Princeton: Princeton University Press, 1969.

– *Aspects of the Masculine*. Princeton: Princeton University Press, 1989.

– Princeton. University Press, 1968.

Kraft-Ebing, Richard von. *Psycopathia Sexualis*. Nueva York: Physicians and Surgeons Book Co., 1922.

Kristeva, Julia. "Herética del amor", *Escandalar*, vol. 6, Nos 1-2, enero-junio 1983, pp. 72-77. También incluido como "Stabat Mater" en *Historias de amor*. México: Siglo Veintiuno Editores, 1987, pp. 209-231.

La Révolution du langage poetique. París: Editions du Seuil, 1974.

– *Polylogue*. París: Editions du Seuil, 1977.

– "Un Nouveau type d'intellectuel", *Tel Quel* 74, invierno 1977, pp. 5-6.

– "Oscillation Between Power and Denial", *French Feminisms* editado por Elaine Marks e Isabelle Courtivron. Nueva York: Schocken Books, 1981.

La Barre, Poulain de. *D'Egalité des deux sexes*. París: Fayard, 1984.

– *De l'Education des Dames pour la conduite de l'esprit dans les sciences et dans les moeurs*. Toulouse: Université de Toulouse le Mirail, 1980.

Lacan, Jacques. *Escritos*, vol. I y II. México: Siglo Veintiuno Editores, 1971.

— "God and the Jouissance of the Woman", *Feminine Sexuality: Jacques. Lacan and the école freudienne* editado por Juliet Mitchell y Jacqueline Rose. Nueva York: W.W. Norton & Company, 1982, pp. 137-148.

Lagarrigue, Juan Enrique. *Carta sobre la religión de la Humanidad*. Santiago, Chile: Imprenta Cervantes, 1892.

Lauretis, Teresa de. *Feminist Studies/Critical Studies*. Bloomington: Indiana. University Press, 1986.

Lombroso, Cesare. *La Donna Delinquente, la Prostituta e la Donna Normale*. Nueva York: Italian Book Company, 1915.

Luisi, Paulina. *Acción Femenina* (Montevideo), vol. III, No 2 [abril 1919], pp. 24-36.

Madres de Plaza de Mayo. *Cantos de vida, amor y libertad*. Buenos Aires: Rafael Cedeño Editor, 1981.

Mill, John Stuart. *La igualdad de los sexos*. Madrid: Ediciones Guadarrama, 1973.

Mistral, Gabriela. *Lectura para mujeres*. México: Secretaría de Educación Pública, 1990.

Montecino, Sonia. *Mujeres de la tierra*. Santiago, Chile: CEM-PEMCI, 1984.

— *Madres y huachos: Alegorías del mestizaje chileno*. Santiago, Chile: Editorial Cuarto Propio, 1991.

Moreau, Alicia. "El feminismo y la evolución social", *Humanidad Nueva*, vol. III, No 4 (1911), pp. 356-375.

Nietzsche, Friedrich. *Ecce Homo*. Nueva York: Random House, 1967.

— *Más allá del bien y del mal*. Madrid: Alianza Editorial, 1972.

— *Así hablaba Zaratustra*. Madrid: Biblioteca EDAF, 1985.

— *The Gay Science*. Nueva York: Vintage Books, 1974.

Ocampo, Victoria. *Testimonios*. Madrid: Revista de Occidente, 1935.

— "La mujer y su expresión", *Sur*, Año V, No 11 [agosto 1935], pp. 24-38.

Paz, Octavio. *El arco y la lira. El poema. La revelación poética. Poesía e historia*. México: Fondo de Cultura Económica, 1973.

— *El laberinto de la soledad*. México: Fondo de Cultura Económica, 1987.

Piossek Prebisch, Lucía. "La mujer y la filosofía", *Sur*, Nos 326-328 [septiembre 1970- junio1971], pp. 95-101.

Poniatowska, Elena. *"Hasta no verte Jesús mío:* Jesusa Palancares", *Vuelta* 24 [noviembre 1978], pp. 5-9.

Rich, Adrienne. *Of Woman Born.* Nueva York: Bantam, 1977.

Rodríguez de Tió, Lola. "La influencia de la mujer en la civilización", *Obras Completas.* San Juan: Instituto de Cultura Puertorriqueña, 1971, vol. IV, pp. 214-217.

Rousseau, Jean-Jacques. *Emile or On Education.* Nueva York: Basics Books, Inc Publishers, 1979.

– *Nouvelle Heloise. Julie.* University Park: Pennsylvania State University. Press, 1968.

Sábato, Ernesto. *Heterodoxia.* Buenos Aires: Emecé Editores, 1953.

Sahagún, Fray Bernardino de. *Historia General de las cosas de Nueva España.* México: Editorial Porrúa, 1956.

San Agustín. *De Trinitate. On the Trinity.* Wasington D.C. :Catholic University of America Press, 1963.

San Pablo. "Epístola a los Corintios", *Sagrada Biblia.* Chicago: La Prensa Católica , 1969, pp. 181-209.

– "Epístola a los Efesios", *Sagrada Biblia.* Chicago: La Prensa Católica, 1969, pp. 216-221.

Sartre, Jean-Paul. *Life/Situations: Essays Written and Spoken.* Nueva York: Pantheon Books, 1977.

– *El ser y la nada: Ensayo de ontología fenomenológica.* Buenos Aires: Edirial Losada, 1968.

Spencer, Herbert. *The Study of Sociology.* Ann Arbor: University of Michigan Press, 1966.

Sprenger, J. Kramer, H. *El martillo de las brujas* (Versión castellana del *Maleus Maleficarum)* Madrid: Ediciones Felmar, 1976.

Vives, Juan Luis. *Instrucción de la mujer cristiana.* Buenos Aires: Espasa-Calpe Argentina S.A., 1940.

Zayas y Sotomayor, Maria de. *Novelas ejemplares y amorosas de doña María de Zayas y Sotomayor.* París: Baudry, Librería Europea, tomo XXXV, 1847.

Bibliografía Teórica Suplementaria

Aladaraca, Bridget. "El ángel del hogar: The Cult of Domesticity in Nineteenth Century Spain", *Theory and Practice of Feminist Literary Criticism* ed. por Gabriela Mora y Karen S. Van Hooft. Michigan: Bilingual Press/Editorial Bilingüe, 1982, pp. 62-87.

Alcoff, Linda. "Feminismo cultural versus pos-estructuralismo: La crisis de la identidad en la teoría feminista", *Feminaria*, Año II, No 4 [noviembre 1989], pp. 1-18.

Allen, Prudence. *The Concept of Woman: The Aristotelian Revolution 750 B.C. AD 1250.* Montreal: Eden Press, 1985.

Araújo, Helena. *La Scherezada Criolla: Ensayos sobre Escritura Femenina Latinoamericana.* Bogotá: Universidad Nacional de Colombia, 1989.

Barthes, Roland. *Mythologies.* Londres: Paladin, 1973.

Behar, Ruth. "Sexual Witchcraft, Colonialism, and Women's Powers: Views from the Mexican Inquisition", *Sexuality and Marriage in Colonial Latin America* ed. por Asunción Lavrín. Lincoln: University of Nebraska Press, 1989.

Berger, John. *Ways of Seeing.* Londres: BBC Books, 1972.

Blom, J. *Descartes. His Moral Philosophy and Psychology.* Hassocks: Harvester Press, 1978.

Bordo, Susan. "The Cartesian Masculinization of Thought", *Signs* vol. II, No 3 [primavera 1986], pp. 439-456.

Borresen, Kari. *Subordination and Equivalence: The Nature and Role of Women in Augustine and Thomas Aquinas.* Washington D.C.: University Press of America, 1968.

Brundage, James A. "Prostitution in the Medieval Canon Law", *Signs*, vol. 1, No 4, verano 1976, pp. 825-845.

Burkett, Elinor C. "In Dubious Sisterhood: Class and Sex in Spanish Colonial South America", *Women in Latin America: An Anthology from Latin American Perspectives.* Riverside: Latin American Perspectives, 1979, pp. 17-25.

Butler, Judith. *Gender Trouble: Feminism and the Subversion of Identity.* Nueva York: Routledge, 1990.

Callan, Richard J. "Some Parallels Between Octavio Paz and Carl Jung", *Hispania*, 60 (1977), pp. 916-926.

Caro Baroja, Julio. *Las brujas y su mundo.* Madrid: Alianza Editorial, 1966.

Castro-Klarén, Sara. "La crítica literaria feminista y la escritora en América Latina", *La sartén por el mango* ed. por Patricia

Elena González y Eliana Ortega. Río Piedras, Puerto Rico: Ediciones Huracán, 1984, pp. 27-46.

Chadwick, Whitney. *Women Artists and the Surrealist Movement.* Boston: Little, Brown, and Company, 1985.

Chaney, Elsa. *Supermadre, Women in Politics in Latin America.* Austin: The University of Texas Press, 1979.

Collins, Margery y Pierce, Christine. "Holes and Slime: Sexism in Sartre's Psychoanalysis", *Women and Philosophy: Toward a Theory of Liberation.* Nueva York: G. P. Putnam's Sons, 1976.

Cypess, Sandra Messinger. *La Malinche in Mexican Literature: From History to Myth.* Austin: University of Texas Press, 1991.

Deleuze, Gilles y Guattari, Félix. *Kafka: Toward a Minor Literature.* Minneapolis: University of Minnesota Press, 1986.

– *Anti-Oedipus.* Nueva York: Viking Press, 1977.

Dijkstra, Bram. *Idols of Perversity: Fantasies of Feminine Evil in Fin de Siècle Culture.* Oxford: Oxford University Press, 1986.

Edelstein, Marilyn. "Metaphor, Meta-Narrative, and Mater-Narrative in Kristeva's 'Stabat Mater'", *Body/Text in Julia Kristeva* editado por David R. Crownfield. Albany: University of New York Press, 1992, pp. 27-52.

Figes, Eva. *Actitudes patriarcales: Las mujeres en la sociedad.* Madrid: Alianza Editorial, 1972.

Flax, Jane. *Thinking Fragments: Psychoanalysis, Feminism, and Posmodernism in the Contemporary West.* Los Angeles: University of California Press, 1990.

Fox-Keller, Evelyn. *Reflections on Gender and Science.* New Haven: Yale University Press, 1985.

Gallagher, Kathryn y Laqueur, Tom. *The Making of the Modern Body.* Los Angeles: University of California Press, 1987.

Graybeal, Jean. *Language and "the Feminine" in Nietzsche and Heidegger.* Bloomington: Indiana University Press, 1990.

Grosz, Elizabeth. *Jacques Lacan: A Feminist Introduction.* Nueva York: Routledge, 1990.

– *Sexual Subversions: Three French Feminists.* Sydney: Allen and Unwin, 1989.

Guerra, Lucía. "El personaje literario femenino y otras mutilaciones", *Hispamérica*, año XV, No 43, 1986, pp. 3-19.

— "Identidad cultural y la problemática del ser en la narrativa femenina latinoamericana", *Plural*, No 205, octubre 1988, pp. 12-21.

Habermas, Jürgen. *El discurso filosófico de la modernidad*. Buenos Aires: Taurus, 1989.

Hoffman, Paul. *La femme dans la pensée des lumières*. París: Editions Ophrys, 1977.

Imagining Women: Cultural Representations and Gender ed. por Frances Bonner et al. Cambridge: Polity Press, 1992.

Jardine, Alice A. *Gynesis: Configurations of Women and Modernity*. Ithaca: Cornell University Press, 1985.

Jeffress, Cynthia. "Education, Philanthropy, and Feminism: Components of Argentine Womanhood", *Latin American Women: Historical Perspectives* editado por Asunción Lavrín. Westport, Connecticut: Greenwood Press,1978, pp. 235-251.

Johns, Catherine. *Sex or Symbol: Erotic Images of Greece and Rome*. Austin: The University of Texas Press, 1982.

Johnson, Julie Greer. *Women in Colonial Spanish American Literature: Literary Images*. Westport, Connecticut: Greenwood Press, 1983.

Jones, Ernest. *The Life and Work of Sigmund Freud*. Nueva York: Basic Books, vol. I, 1953.

Kelly-Gadol, Joan. "The Social Relation of the Sexes: Methodological Implications of Women's History". *The Signs Reader: Women, Gender and Scholarship* editado por Elizabeth Abel y Emily K. Abel. Chicago: The University of Chicago Press, 1983, pp. 11-25.

Kirkwood, Julieta. *Ser política en Chile: Los nudos de la sabiduría feminista*. Santiago, Chile: Editorial Cuarto Propio, 1990.

– *Tejiendo rebeldías*. Santiago, Chile: CEM, 1989.

Kofman, Sara. *L'Enigme de la femme*. París: Editions Galilée, 1980.

Larguía, Isabel y Dumoulin, John. *Hacia una ciencia de la liberación de la mujer*. Caracas: Universidad Central de Venezuela, 1975.

Lauretis, Teresa de. *Technologies of Gender: Essays on Theory, Film, and Fiction*. Bloomington: Indiana University Press, 1987.

Lerner, Gerda. *The Creation of Patriarchy*. Nueva York: Oxford University Press, 1986.

Lorite Mena, José. *El orden femenino: Origen de un simulacro cultural*. Barcelona: Anthropos, 1987.

Ludmer, Josefina. "Tretas del débil", *La sartén por el mango* ed. por Patricia Elena González y Eliana Ortega. Río Piedras, Puerto Rico: Ediciones Huracán, 1984, pp. 47-54.

Lloyd, Genevieve. *The Man of Reason: "Male" and "Female" in*

Western Philosophy. Minneapolis: University of Minnesota Press, 1984.

Maclean, Ian. *The Renaissance Notion of Woman: A Study in the Fortunes of Scholasticism and Medical Science in European Intellectual Life*. Nueva York: Cambridge University Press, 1980.

Mead, Margaret. *Macho y Hembra*. Caracas: Editorial Tiempo Nuevo, 1955.

Memmi, Albert. *The Colonizer and the Colonized*. Boston: Beacon Press, 1967.

Miller, Nancy K. *The Poetics of Gender*. Nueva York: Columbia University Press, 1986.

Moi, Toril. *Sexual/Textual Politics: Feminist Literary Theory*. Nueva York: Methuen, 1985.

Muriel, Josefina. *Cultura femenina novohispánica*. México: Universidad Autónoma de México, 1982.

Nahas, Hélène. *La femme dans la littérature existentielle*. París: Presses Universitaires de France, 1957.

Nicholson, Linda J. *Feminism/Posmodernism*. Nueva York: Routledge, 1990.

Phillips, John A. *Eva: La historia de una idea*. México: Fondo de Cultura Económica, 1988.

Plank, William. *Sartre and Surrealism*. Michigan: UMI Research Press, 1981.

Pratt, Annis V. "Spinning Among Fields: Jung, Frye, Lévi-Strauss and Feminist Archetypal Theory", *Feminist Archetypal Theory: Interdisciplinary Re-Visions of Jungian Thought* editado por Estella Lauter y Carol Schreier Rupprecht. Knoxville: The University of Tennessee Press, 1985.

Rabine, Leslie. "The Unhappy Hymen between Feminism and Deconstruction", *The Other Perspective in Gender and Culture: Rewriting Women and the Symbolic* editado por Juliet Flower MacCannell. Nueva York: Columbia University Press, 1990, pp. 20-38.

Richard, Nelly. *Masculino/Femenino: Prácticas de la diferencia y cultura democrática*. Santiago, Chile: Francisco Zegers Editor, 1993.

Rodríguez Sehk, Penélope. "La virgen-madre: Símbolo de la femineidad latinoamericana", *Texto y Contexto* [enero-abril 1986], pp. 78-84.

Rubin, Gayle. "The Traffic in Women: Notes on the 'Political Economy' of Sex", *Toward an Anthropology of Women* ed. por

Rayna Reitter. Nueva York: Monthly Review Press, 1975, pp. 157-210.

Ruether, Rosemary Radford. *Sexism and God-Talk: Toward a Feminist Theology*. Boston: Beacon Press, 1983.

Schutte, Ofelia. "Toward an Understanding of Latin American Philosophy: Reflections on the Formation of a Cultural Identity", *Philosophy Today*, primavera 1987, pp. 21-34.

Spivak, Gayatri. "Displacement and the Discourse of Woman", *Displacement Derrida and After* editado por Mark Krupnik. Bloomington: Indiana University Press, 1987, pp. 10-32.

Stevens, Evelyn P. "The Prospects for Women's Liberation Movement in Latin America", *Journal of the Marriage and the Family*, vol. 35, No 2 [mayo 1973], pp. 313-321.

Suleiman, Susan Rubin. *Subversive Intent: Gender, Politics, and the Avant-Garde*. Cambridge: Harvard University Press, 1990.

Tolstoj, N.I. y S.M. "Para una semántica de los lados izquierdo y derecho en sus relaciones con otros elementos simbólicos", *Semiótica de la cultura* de Jurij M. Lotman y Escuela de Tartu. Madrid: Ediciones Cátedra, 1979, pp. 195-198.

Walther Bran, Helmuth. *Nietzsche und die Frauen*. Leipzig: Meiner, 1931.

Warner, Marina. *Alone of All Her Sex: The Myth and the Cult of the Virgin Mary*. Nueva York: Alfred A. Knopf, 1976.

CONVERSACION EN TORNO AL TEXTO

Diamela Eltit
Carlos Pérez
Raquel Olea

Diamela Eltit: A mí me parece que lo importante de este libro es la amplitud de su gesto, su capacidad de reflexionar, pensar y repactar la historia manifiesta y acordada. Es un libro muy bien escrito, extraordinariamente bien documentado. Sin embargo, dentro de ese despliegue, me interesan sobre todo, los momentos en que Lucía Guerra se acerca a la contemporaneidad. Es decir, cuando revisa desde Freud, a Lacan y con los modelos y dispositivos teóricos, que son propios del siglo XX, la noción del sujeto mujer. Creo que es frente a la contemporaneidad donde Lucía da lecturas más amplias y más propositivas. Considero, que este libro es un esfuerzo importante en el cual hay momentos más felices y otros a mi juicio, más neutros, que serán los que podemos examinar dentro de esta conversación.

Carlos Pérez: Este es un ensayo que se deja leer con agrado. Ahora bien, ¿en qué consiste? ¿Cómo me apela como sujeto lector? ¿Por qué establezco con él una relación de pliegues y empatías? Se trata de un ensayo orgánico que examina en forma, por momentos muy brillante, y con un aparato teórico muy competente, la producción de discursos acerca del signo mujer; los significados y connotaciones de "lo femenino". Para marcar desde ya una diferencia: diría yo que este no es un ensayo feminista, sino que es un ensayo acerca de "lo femenino", del modo en que "lo femenino" ha sido desplegado en sus diferentes modalidades por el discurso patriarcal dominante.

Todos los signos que designan al ensayo, el modo en que el texto se construye, reproduce muy notoriamente el formato clásico del ensayo, y el tipo de referencia textual de la academia norteamericana. Lo que esa academia supone que un ensayo debe ser.

La pregunta que me surge es si este ensayo es o no feminista, o si simplemente es un ensayo producido por una mujer. Este es un ensayo que brillantemente expone y examina con un marco bibliográfico exuberante, con un saber erudito, enciclopédico; pero que, sin embargo, reproduce el formato y punto de vista de quien expone algo con cierto grado de neutralidad, sin comprometer determinadas apuestas.

Raquel Olea: Me parece un libro interesante. Y lo es sobre todo, porque habla desde lo latinoamericano. Hecho por una chilena, que intenta desde un discurso latinoamericano, armar una visión o una construcción del signo mujer, a lo largo de la historia. Ahora bien, ésto lo pone en suspenso. Creo que en estos momentos las lecturas tienden a tener reservas frente a los textos que pretenden armar totalizaciones. Y este texto intenta, sobre todo en su primera parte, armar o revisar cómo se ha armado el signo mujer, en términos de las diferentes épocas y culturas, abarcar la totalidad del universo. Hay un esfuerzo casi voluntarioso de hacer coincidir o converger, las entradas para hacer calzar la visión del signo, que la trabaja. La pregunta es cómo desde el feminismo, se logra romper el discurso del binarismo ¿Cómo logramos hablar fuera del binarismo? Yo no estoy de acuerdo con Carlos de que no se trate de un ensayo feminista. Creo que hay un punto de vista durante el transcurso de la escritura, que me permite pensar que la autora está hablando desde un lugar feminista. Y la pregunta si este ensayo ha sido escrito por una mujer, es a mi juicio una pregunta muy sospechosa, porque lo "normal" sería que un ensayo fuera escrito por un hombre. Cuando uno reproduce el formato del ensayo hay que preguntarse si es escrito por una mujer. Esa es la pregunta que rompe. Este ensayo reproduce una forma de la construcción binaria en la oposición masculino-femenino. Una primera parte, "eje de la territorialidad patriarcal", produce la significación del signo mujer desde el metarrelato patriarcal. Lucía Guerra pone en cuestión, interroga ese metarrelato en la segunda parte "El flujo de lo heterogéneo". Necesariamente emerge un discurso más discontinuo, precario, frágil aún en su voluntad de re-significar lo femenino. La estructura del ensayo reproduce la relación Poder/No Poder de los discursos que (re) construye. Ahí me surge una pregunta acerca del poder de los discursos que creo es uno de los problemas interesantes que el libro plantea. El problema de las diferencias sexuales, que es otro de los problemas importantes en estos momentos ¿Cuál es, la o las razones de la diferencia?

Creo que no hay razones de la diferencia sino que hay poderes desde la diferencia. Desde ahí me interesa entrar al libro de Lucía Guerra y por esa razón me motiva hablar de la tercera parte.

Diamela Eltit: Lo que dice Carlos es muy provocativo en el sentido que remite a la lectura posible de este texto. Las preguntas que hace Carlos son preguntas que se sustentan en categorías: ¿Qué es lo que es un ensayo? ¿Qué es lo femenino? ¿Qué es lo masculino? Yo, al contrario de lo que tú afirmas, pienso que Lucía Guerra trabaja efectivamente con la cultura: con la "alta cultura". No importa de dónde venga. Incluso en la alta cultura no oficial como podría ser la cultura azteca y no la cultura mapuche, por ejemplo, ni tampoco acerca de una tribu minoritaria de Nicaragua. Entonces se van produciendo una serie de preguntas a partir de lo que Carlos dice. Y la primera parte tiene relación con las fuentes de algo que ya tiene un trazado como es el patriarcado y pienso que ese es el proyecto de Lucía Guerra. Y creo que uno tiene que meterse en ese proyecto o si no la discusión se nos va a ir por otro lugar. Yo creo, al contrario, que este libro es un libro feminista en el sentido de que hay una incursión habilitada sobre el cuestionamiento del patriarcado. En ese sentido existe un trazado que nos ubica en ese lugar y su cuestionamiento al patriarcado marca su visión feminista. Nominación y nomenclatura que está diciendo en dónde está parado el texto. Otro cuento es si uno está de acuerdo o no. Sólo por el hecho de ser una interrogación poco habitual lo habilita como feminista: Descartes o Kant no se hacen la misma pregunta sobre la cultura y la pregunta sobre el patriarcado que Lucía Guerra la establece. Tan sólo por eso, ya se inscribe como un texto feminista.

Porque el texto se hace preguntas que no están contempladas en el registro de emisión del discurso. Textos que no se interrogan ese punto. Y al ser interrogado desde ahí, en el centro tuerce, y cuestiona y por eso es feminista. Ahora, ¿qué es feminismo? ¿Cuándo? ¿Cómo? ¿Por qué? Esas son otras preguntas. Pero lo más relevante es hacerles una pregunta: esa pregunta a sectores que no la tenían contemplada de esa manera. Por interpelación. Lucía Guerra organiza, reorganiza un campo, en un tejido de la "alta cultura" y establece preguntas e interrogantes que son imposibles para ese discurso y más allá que suenen como muecas sobre la mujer, lo único que cabe entonces es burlarse de ese discurso patriarcal, que es el discurso dominante.

Insisto, son preguntas que no estaban pensadas por esos discursos. Y no da respuesta, sino que sólo puede dar señas. Quizás ese mismo gesto se puede desprender de otros gestos menores, otras fuentes más acotadas y por eso mismo más productivas. Quizás a partir de cuestiones más periféricas se van a aceptar las mismas preguntas acerca del patriarcado de manera menos obvia. Comentar lo mismo, pero sobre todo, aceptar la pregunta. Quizás en el texto de Lucía Guerra el patriarcado se hace demasiado abstracto. Algo muy innovador y sin salida, derivando de esta manera, el problema a zonas intraspasables. La primera parte me dejó la sensación de imposibilidad; de no tener más posibilidades que la muerte. Se me antepone un muro. En cambio, la segunda parte me plantea un campo para preguntas propicias.

Raquel Olea: Dentro del contexto de este binarismo que yo acusaba en un comienzo, que detectaba en este texto, hay un elemento que me parece significativo, porque rompe la homogeneidad de los términos de la oposición masculino-femenino. Creo, que Lucía amplía -en este texto- las diferencias de lo masculino-femenino, ya que dentro de lo masculino ella escenifica una heterogeneidad que está construida. También lo hace dentro de lo femenino -que sí hay que marcar en la discusión de lo femenino. Ella presenta dos heterogeneidades que están funcionando. Lo masculino es una construcción heterogénea del mundo y lo femenino es otro modo complejo de ver el mundo. En ese sentido y recogiendo lo que dice Diamela, ella interroga lo más minoritario de los discursos masculinos, los filósofos que nombra y que cita a partir de las lecturas que ellos hacen de lo femenino, son las lecturas menos hechas. Las menos indagadas, las menos interrogadas en estos autores. A la vez, lo femenino ha sido para los autores mencionados un aspecto irrelevante en su propia construcción conceptual, más bien ha sido obviado. La pregunta importante es el por qué de este ausentismo y por qué Lucía Guerra lo marca. ¿Cuál es la intencionalidad política de su voluntad escritural?

En la tercera parte, cuando reconstituye lo que las mujeres han hablado de ellas, lo que los discursos femeninos han estado construyendo: no deja de ser sintomático que el capítulo de lo femenino marche distinto. Es un capítulo más breve. Obviamente obedece a un discurso más nuevo, más reciente, menos armado que el otro discurso, esto, también es un gesto feminista. Es un gesto feminista interrogar en las grandes discusiones del patriarcado, lo minoritario femenino y hacer dialogar esos discursos con los de la mujer sobre ¿qué es lo femenino? Hay ahí también otra discusión. ¿Cómo se arma el discurso desde la mujer acerca de la mujer o acerca de lo femenino? Es aún una respuesta balbuceante desde lo femenino.

Porque "lo femenino" está muy en cuestión desde el discurso mismo de las mujeres. Yo insistiría que, por todas estas potencialidades que el texto abre, por su capacidad de construir y sugerir interrogantes acerca de lo femenino, en no dudar que se trata de un texto feminista. Me parece, en este sentido un texto eficaz.

Carlos Pérez: Cuando digo que este texto no me parece un texto feminista, quizás debería matizar más. Yo sólo me pregunto si este texto podría ser el texto de cualquier sujeto -feminista o no- tan bien equipado como su autora, con el soporte bibliográfico que ella tan brillantemente manipula. No trabaja con materias prestadas, sino ya muy bien digeridas. Pero son materiales pululantes y ya inscritos culturalmente. Lo brillante de este texto es que desde el lugar instalado por el paradigma de la teoría feminista presenta, exhibe y analiza todas las discusiones habidas, que desde ese lugar encuentran su clave en la fórmula del logofalocentrismo o de la meta-narrativa patriarcal. Pero este es un texto que tiene una inscripción y esa es la del ensayo, que a su vez tiene un lugar más o menos prefigurado. Eso significa que reproduce todos los "tics" fascinantes -por lo demás- de la referencia bibliográfica, de la cita, de la lógica argumentativa. Es decir, es un texto respetuoso del discurso académico.

Por eso es que yo establezco una diferencia entre este ensayo y otro tipo de trabajo que se entregara al análisis de micropolíticas, de movimientos y dislocaciones que ciertos discursos podrían producir dentro de la meta-narrativa logocéntrica. Yo creo que eso no se hace acá. Aquí lo que se hace es "hablar acerca de". Acerca de aquellos textos que instalan el discurso europeo occidental -y más allá incluso- como un mito, un texto que puede ser decodificado bajo una clave: la clave falo-logo-centrista: clave heredada del deconstruccionismo derridariano. Exposición, examen, relato acerca de, pero no la instalación de un punto de vista que disloque, desvíe, las meta-narrativas desde nuevos análisis; que ejerza este lugar otro, suponiendo que en este lugar otro exista para instalarse dentro del campo agonístico de la cultura: de la batalla de los signos y de la batalla de los discursos. No creo que el texto haga eso ni que pretenda hacerlo.

Diamela Eltit: En cambio, para mí, pensar lo femenino es tensar la cultura, ampliando el problema y haciéndolo ineludible. Ineludible es que aparezcan Freud y Lacan, - aún siendo franceses- no es inocente que comparezcan como tales. Ya que rescatar ese pensamiento -y a la vez dislocarlo- lo constituye en un gesto político. No es lo mismo ese parámetro a otro. Lo que yo quiero decir es que el libro de Lucía Guerra hace una instalación política. Aunque Irigaray y Cixous ya estén instaladas, siguen significando un tránsito problemático por la pregunta que establecen. No es indiferente la pregunta que plantea este texto con respecto a otra pregunta que no incluyera la sociedad patriarcal. Uno estará de acuerdo o no. Pero la pregunta no es inocente.

Raquel Olea: Yo creo que el texto es más que un texto feminista. No es solamente un texto que pudiera ser sólo inscrito desde la historiografía. En el sentido de contribuir en el pensamiento acerca de lo femenino. Es un texto, al que como lectora le pregunto por su rendimiento político para un pensamiento feminista. Más allá de lo que el texto mismo concita. El texto plantea interrogantes que están en estos momentos en discusión en el pensamiento feminista actual. Más allá del texto mismo, más allá del propio registro o del hacerse cargo de la instalación de ciertos autores. Este texto hace posible plantearse o productivizar el discurso de la diferencia o de la igualdad. La diferencia de poderes que se despliegan en lo femenino y en lo masculino. Más que razones diversas el texto significa poderes diversos: instalaciones de discursos y en ese sentido el texto tiene una capacidad de explosión acerca de los lugares que han ocupado lo femenino y lo masculino a lo largo de la historia. El texto tiene una productividad política feminista. No me cabe duda, que este texto se va a transformar en un texto de consulta, de trabajo, en un texto que gatille productividades impredecibles en término de su destino. Y estos son los elementos que a mí me permiten catalogarlo como un texto feminista: un ensayo feminista.

Carlos Pérez: A mí tampoco me cabe duda de que este texto se va a constituir en un texto de consulta importante pero insisto que eso se debe a la organización que hace Lucía Guerra de los saberes producidos desde el paradigma del feminismo teórico: ese es el plan del texto: la brillante organización de los saberes, donde los rasgos más ostensibles son los de totalidad y organicidad. Sin embargo, no creo que Lucía Guerra instale una nueva pregunta. Ella organiza la pregunta que ya está instalada y la narra, la examina con mucha transparencia. Lucía Guerra no está produciendo un cuerpo deseable, es decir, no está produciendo un texto bajo el signo de la escritura en su sentido más fuerte. No está produciendo un nuevo cuerpo escritural. Ella, lo que está produciendo al interior de un lenguaje perfectamente codificable en términos de géneros académicos, es un ensayo que "habla de". Creo que es necesario establecer esta diferencia con relación a un texto que sea un nuevo cuerpo verbal, que de alguna manera se disloca, se desvía, que instala tensiones no instaladas aún. Yo no creo que Lucía Guerra haga eso ni pretenda hacer eso. No es lo mismo leer este texto que leer alguno de los textos emblemáticos que ella comenta. Por ejemplo, Cixous. Eso es lo que quiero decir: que aquí tenemos un documento muy importante, con una visión panorámica de cómo la meta-narrativa patriarcal ha significado el signo-mujer y como esa meta-narrativa se visualiza desde este paradigma, también ya instalado, que es el feminismo teórico. El texto permite identificar la clave que lo estructura.

Insistiría entonces: primero, se presenta el relato de cómo esa meta-narrativa significa el signo mujer y, segundo, la acotación del punto de vista desde donde todo discurso tradicional queda instaurado como meta-narrativa patriarcal.

Raquel Olea: Yo no pienso que solamente se trata de un ensayo historiográfico. Yo creo que las articulaciones y organización interna del texto plantean otras preguntas, al menos implícitamente. Es un texto que está haciendo preguntas sobre el poder, sobre la diferencia, sobre los lugares históricos, por la división sexual del trabajo, preguntas por las relaciones de violencia de poder.

Carlos Pérez: Esas son preguntas relatadas por Lucía Guerra, no preguntas inscritas por ella. No son preguntas de Lucía Guerra. Son preguntas más o menos familiares. Quizás incluso más para ustedes que para mí.

Raquel Olea: Son preguntas que tienen una recurrencia sobre problemas que son justamente problemas que han contribuido a armar esa meta-narrativa que tú aludes y que por otra parte comparece junto a los discursos feministas como reverso.

Diamela Eltit: La propuesta del libro es cultural en el sentido que examina los saberes y que se articula, en su primera parte al saber dominante. La manera de rearticular esos saberes, de ordenarlos, está realizado muy inteligentemente. Ahora bien, todo texto de esas proporciones tan grandes va a tener algo fijo, un fijador: consume mucho. Consume saberes.

No obstante, especialmente de Latinoamérica, coincido con Raquel, que se trata de un texto que tiene productividad. Una productividad más allá de sí mismo. En Latinoamérica, yo creo que la recepción de este texto, de esta lectora, de esta gran lectora y organizadora de discursos que es Lucía Guerra, sí tiene una productividad en el sentido que se transforma en una referencia posible. Ya sea para reafirmar, confirmar, consultar, discutir. Ella fijó el campo peligroso al cubrir un campo de lectura, al establecer un parámetro para Latinoamérica, para esta área territorial.

El texto de Lucía Guerra es un texto feminista porque diseña un trayecto. Ser feminista no es necesariamente plantear una teoría nueva, ni tampoco plantear otra pregunta nueva y otra más.

Ahora, en cuanto a la lectura del texto, para mí fue muy positiva en el sentido del recorrido de materiales y también como toda lectura que me apasiona por tratarse de temas tan importantes. También me surgieron dudas. Dudas que el libro las provoca. Me pareció que había un inevitable campo de angustia por este patriarcado tan monolítico, a ratos ridículo, a ratos estúpido; pero que el siglo XX es un siglo de mentalidad transformativa para la mujer. Y es ahí donde hay muchos espacios donde uno se puede agarrar. Que van más allá y que tienen que ver con un campo político concreto. Momentos concretos: políticos, sociales, históricos, que me parecen que no están suficientemente explorados en el libro. En el siglo XX hay una tremenda expresión confrontacional con el sistema por parte de las mujeres. Confrontacionalidad de cuerpos cuyo simbolismo está tejido en acción. Yo sé que Lucía está hablando del problema simbólico, que no está pasando por ninguna conjetura de los cuerpos, pero no obstante, creo que es parte de la simbolización sobre todo en el caso de las mujeres, y se hace necesario tomar esos momentos, esos momentos cuando el cuerpo de la mujer se puso de frente contra los sistemas.

Raquel Olea: En la tercera parte del texto cuando Lucía habla de lo latinoamericano, no mira lo que han sido los movimientos de mujeres y la fuerza del movimiento feminista en Latinoamérica, donde se pueden recoger ciertos símbolos: como los de las madres de la Plaza de Mayo o los testimonios de Rigoberta Manchú y que en algunos casos son escrituras.

Los movimientos sociales de mujeres en América Latina tienen un material que puede ser muy productivo para la transformación o las propuestas de trasformación del signo mujer en esta área. En ese sentido a mí me faltó que se establecieran más diferencias de referencias, de discursos de feministas políticas o activistas. Por ejemplo, Lucía toma a Julieta Kirkwood, pero en general los textos o producciones que tienen que ver con el trabajo y la participación política de mujeres están omitidos.

Es un aspecto muy importante del feminismo todo el

problema de las relaciones entre mujeres, en el sentido de construir su heterogeneidad, que me parece que es también un gesto político, frente a todo el discurso simbólico más convencional que habla de la mujer y de la homogeneidad del signo mujer al interior del discurso patriarcal. Esa deshomogenización se hace productiva en todo el sistema de las relaciones de poder entre mujeres. No es cuestión solamente de establecer una diferencia de lo femenino a lo masculino. Se hace necesario construir una heterogeneidad al interior de lo femenino.

Carlos Pérez: Bueno, yo creo que tú pones un punto desde donde yo diría que este texto no contempla ninguna consideración.

Sencillamente el texto se instala en la exposición de un orden simbólico que no marca diferencia entre un feminismo reivindicativo y un feminismo teórico: es decir, entre un feminismo que sigue capturado dentro de la oposición naturaleza-cultura y que promueve lo femenino como una sustancia o como una identidad otra y un feminismo teórico en donde se parte de que cualquier recurso a una identidad, a una sustancia, a un cuerpo autónomo no es sino parte del mismo discurso dominante que impone sentidos. Para el feminismo teórico la única alternativa sería justamente el desmontaje de toda esa arquitectónica categorial que caracterizara la tradición de los saberes dominantes, en donde las nociones de sujeto, representación, de identidad y verdad universal excluyen, censuran y reprimen la diferencia.

Yo creo que Lucía Guerra desconsidera el análisis de los textos, testimonios que surgen a la luz de una exterioridad respecto al discurso del saber, respecto al orden simbólico.

Cuando he insistido en que este texto se inscribe dentro de un género determinado y como perteneciente incluso a un recinto posible -el lugar de lo académico- me refiero concretamente a que la institución académica -como toda otra institución- sustenta su identidad en la censura y en la represión. Este texto vive en el refugio de esa interioridad no obstante que la teoría feminista pretendería liberar esa exterioridad, sobre cuya exclusión se sustenta la institución del discurso dominante. Que los aspectos examinados y expuestos en el texto vivan en el despliegue de la liberación de ese exterior, ese es otro cuento.

Diamela Eltit: Yo creo que Lucía Guerra hace un intento por desbloquear cuestiones culturales. Ella parte desde muy al principio con asuntos que provienen de la cultura-sexo. No solamente desde la lógica occidental, sino que busca también al otro. Ella habla de la estructura colonizador/colonizado. Pasa por el subyugado y por textos cuya especialización es problemática: como Rigoberta Menchú, la Plaza de Mayo... no es un universo cerrado que se reduzca a una corriente de pensamiento, es un texto que abarca más.

El hecho de confrontar la cultura occidental con la cultura azteca es interesante pero a estas alturas también es problemático porque no produce un texto sagrado, sino que consagrado. Es efectivo que Lucía Guerra pasa por espacios marcados por otros: pasa por la Plaza de Mayo, por Rigoberta Menchú y también por ciertos movimientos sociales. Lo que quise decir antes es que si el siglo XX está marcado por su diversidad extrema, por su pluralidad impresionante; ese plural que construye el signo mujer en el siglo XX, sobre todo está marcado por la omisión de discurso, un discurso muy visible, que en realidad es una estrategia. Este texto lo que hace es analizar esas estrategias que el siglo XX ordena. Sin embargo, lo que yo echo de menos en este texto es la comparecencia de una cantidad impresionante de estrategias elaboradas, por ejemplo, por mujeres chilenas que van desde la súplica hasta las actuales estrategias y son justamente esas estrategias las que a mi juicio podrían haber sido más desarrolladas en el texto. Esas estrategias podrían ayudarnos a entender el eco y digo eco porque esas estrategias también están muy presentes en Latinoamérica. Incluso nosotros mismos somos parte de esa estrategia.

Somos hijas de esas estrategias y no sé siquiera si somos

algo más que estrategia. Pero por lo menos si sabemos eso, sabemos que las estrategias juegan como saberes. Creo que podría haberle dado más espacio a eso.

Raquel Olea: Al tomar el texto por este lado en que lo estamos haciendo, se plantea un problema real del feminismo de este momento, que es el de las tácticas y estrategias: los lugares de intervención. Yo creo que es cierto que este es un texto que está producido desde el espacio académico. En ese sentido su política no es desde una práctica política. Me refiero a que no hay una conexión entre el discurso que desarrolla Lucía Guerra con la práctica política feminista. Este es un problema que se debate con mucha fuerza aunque con poca esperanza al interior del feminismo, en relación a lo que son las teorías de género, a lo que son las políticas académicas y a los logros políticos desde esos espacios, pero el feminismo como lugar político tiene como objeto alterar: modificar las relaciones de género, mejorar la vida de las mujeres. Yo creo que la diferencia no es un problema del ser, es un problema social, político, cultural. En ese sentido el feminismo reivindicativo ayuda a significar los gestos de fisura porque ahí están las acciones políticas de las mujeres: están sus resistencias, desobediencias, sus estrategias discursivas, sus tretas, "tretas del débil" como lo llama Ludmer. Y esas tretas, esas estrategias han ido también fisurando los símbolos y los sentidos del signo mujer en su accionar práctico. Si uno piensa en el conjunto de escritoras-feministas chilenas que no están incorporadas a la institución de la literatura, que hasta se pueden calificar de malas escritoras, pero ellas mismas no han pretendido producir una escritura que sea valorada en términos estéticos. Lo que a ellas les interesa es utilizar este instrumento que es la escritura para contar un cuento, para mostrar cómo se resisten a la obediencia de la maternidad tal como se ha instituido, se resisten a los mandatos que el sistema ha ordenado para tenerlas en un lugar de poder inferiorizado. Creo que ahí también hay muchos gestos de mujeres que podrían haber sido tomadas como, por ejemplo, los clubes de lectura, muchas asociaciones de mujeres en distintos lugares, que fueron instalando una estrategia que no fue hecha como gesto aislado, que se retoma en los movimientos feministas a pesar de su discontinuidad histórica. Entonces, lo que yo veo es que este texto plantea un problema, que no es el problema de Lucía Guerra, sino que tiene que ver con una articulación política o de las políticas desde el feminismo en sus distintos lugares de intervención. Finalmente volvemos a la dicotomía entre producción intelectual con la producción de prácticas.

Carlos Pérez: Ahí yo veo un punto problemático. Todos estos gestos, experiencias, al querer inscribirse deben preguntarse por cuándo, desde qué lugar, desde dónde se instalan. Porque son experiencias que aún no han sido instaladas dentro de la historia. Eso sería una tarea. Pero ¿desde dónde pueden ser instaladas estas experiencias, justamente como experiencias dislocantes o subversivas o transgresoras, etc? Desde la instalación de un paradigma teórico, que hoy día se hace familiar. Pues bien, lo que yo creo que hace Lucía Guerra, –y a eso me refiero cuando digo que es un texto más bien refugiado– es exponer y examinar, desde una producción de alta cultura, el lugar, dado por la teoría feminista, para entender, justamente ese relato de la alta cultura, como meta-narrativa patriarcal. Es justamente a la luz de ese nuevo paradigma, que yo creo ya instalado en la producción teórica actual; es desde ese lugar que se empiezan a visualizar y rescatar testimonios, gestos minimalistas y pueden leerse las supuestas articulaciones que esos discursos produjeron. Pero siempre es una construcción retrospectiva a la luz de un paradigma instalado, desde sujetos teóricos, no necesariamente provenientes del feminismo. Estoy pensando concretamente en que el postestructuralismo colabora en instalar ese paradigma teórico desde donde se empiezan a rescatar dislocaciones, desvíos y gestos minimalistas que pueden provenir de una historia anterior. El texto de Lucía Guerra se instala en ese paradigma inscrito y ya familiar. Tan familiar que no tan sólo me cuenta la historia del signo mujer, sino que además desde esa nueva topografía del universo simbólico, yo también puedo leer el signo hombre. Ahí hay un nuevo rendimiento desde luego. Es en ese sentido que la relación entre prácticas y experiencias y teoría me parece un tema delicado y fascinante. Está claro que el análisis y desmantelamiento de un sujeto único, de una historia unitaria y lineal; de una verdad esencial y universalizante; del discurso metafísico como un sistema de oposiciones jerárquicas, en donde uno de los miembros subordina al otro; todo eso procede no de la práctica feminista, procede obviamente de una práctica teórica que tiene antecedentes: Marx, Nietzsche, Freud, la lingüística saussuriana, Heidegger, Derrida, etc.

Son muchos los elementos que convergen para instalar ese paradigma, desde donde la teoría feminista puede visualizar y darle sitio y rescatar y analizar políticas o micro políticas anteriores: reconstruir retrospectivamente, dotar de sentido experiencias anteriores. Ahora bien, insisto, ese es un paradigma teórico instalado. Todo lo que se da bajo el nombre de post–modernismo es la inscripción de ese nuevo modo de relacionarse con el saber heredado. Es desde ahí que se hace posible ver lo que en este ensayo queda clarísimo: que el largo texto de la cultura tradicional puede ser leído como una meta-narrativa patriarcal, donde el sujeto que ejerce el discurso es un sujeto masculino y no femenino; y donde lo masculino y lo femenino no son géneros substanciales, sino imposiciones de sentido. De ahí su desconsideración, al menos su inadvertencia, de todas aquellas cosas que tú acusas como ausencia.

Diamela Eltit: Cuando se habla de esas faltas no se trata de las carencias de este libro. Yo creo que este libro como proyecto se cumple. Lo que no está interrogado acá es lo femenino; se interrogan categorías culturales, pero eso sería otro libro. A mí me parece preocupante lo que tú afirmas. El discurso feminista es un discurso que se construye como otro discurso a partir de intersticios y en pedazos de otros discursos y pensamientos; pero eso no es un déficit. Porque justamente al integrar esos discursos y ocupar ciertas partes de esos discursos se produce un movimiento político que no es un movimiento político indígena y que tampoco es un movimiento político gay, sino que hay un movimiento político feminista. No otro; que puede tocar lo indígena; que puede tocar lo gay, pero que es específicamente feminista. No importa cómo se articuló, lo importante es que sí se articuló. Es un corpus instalado.

Raquel Olea: El texto pone en escena y no sólo expone sino que marca ciertas crisis del discurso feminista, porque tampoco está planteado como un corpus estático. Lo que plantea no es solo cómo el discurso feminista se ha hecho posible, sino que ejecuta una historización de ese discurso, articulándolo a un saber feminista. El discurso feminista y la práctica feminista articulan productividades distintas en los distintos espacios donde pueden intervenir y producirse como zonas de influencias.

Un aspecto que me interesa desde el punto de la productividad es cómo el texto pone en crisis o cómo marca una crisis con respecto a un discurso desde la perspectiva de la igualdad. Igualdad feminista del primer feminismo. Ese discurso acusa la crisis a partir de cuando se deja pensar lo social como un espacio único. Que todos los sujetos sociales tendrán que aspirar a los mismos lugares, a los mismos poderes, a los mismos derechos. También esa fragmentación de la idea de UNO, como sujeto, como espacio social, como pensamiento, es una productividad que el texto pone en escena. El texto hace notar esa crisis. Si tu política feminista se inscribe en el espacio académico y no toma en cuenta y no considera lo otro, también es un espacio de intervención de la producción de tu texto. Lo masculino no es el único lugar a ocupar por las mujeres.

Carlos Pérez: Yo creo que hay que tener presente la vasta bibliografía en que se sustenta cada capítulo. Para nosotros no teniendo acceso, o al menos no teniendo una digestión exhaustiva de ese soporte bibliográfico, este es un libro efectivamente organizativo de saberes.

Raquel Olea: Yo creo que la meta-narrativa patriarcal que Lucía Guerra ha construido, la ha constituido con cierta intencionalidad. Nosotros podríamos hacer un análisis de discurso para preguntarnos por qué por ejemplo utiliza esas citas, a esos autores. Ella arma ese texto con un aparato que le da un lugar: ya no es un referente masculino, su intervención la ha desposeído del poder masculino, asignándole un nuevo lugar, desde una práctica discursiva distinta. Femenina.

Carlos Pérez: Lo que yo he tratado de decir durante el transcurso de la conversación es que el texto de Lucía Guerra se instalea al interior de un discurso feminista y que no se cuestiona esa interioridad, que como cualquier interioridad, como cualquier institución se sustenta en la exclusión de una exterioridad. En esa exterioridad cabría todo lo que ustedes echan de menos. En la interioridad académica norteamericana ya está instalado el corpus feminista. No hay allí una situación de desmontaje, sino es dentro de un marco, de una disciplina, de un formato.

Raquel Olea: La diferencia es que la teoría feminista es sexuada. Es un pensamiento sexuado.

Carlos Pérez: Habría que hacerse la pregunta acerca del universo de recepción de un texto como éste. Yo creo que este es un texto funcional y consumible. No es un texto que produzca un lector otro. Yo supondría que la pretensión de un texto feminista sería justamente la dislocación del lector formateado por el paradigma patriarcal. Este texto prevé, espera un lector instalado y no pretende dislocarlo.

Lucía Guerra: "A modo de recado desde este recodo al otro extremo del Océano Pacífico".
Por fax me llegan las voces de Diamela Eltit, Carlos Pérez y Raquel Olea. Los signos transcritos me hacen palpar

y disfrutar tres lecturas que se interiluminan y me incitan a dialogar con tres inteligentes receptores que vuelven a poner en escena y al trasluz los andamiajes de La Mujer Fragmentada. Desde Chile, desde allá . .

Carlos Pérez tiene mucha razón al situar mi discurso en el sitio ya construido del ensayo, forma convencional de la academia norteamericana. Creo importante definir, en términos más precisos este territorio que, por llevar las connotaciones de "institución", motiva a equipararlo con órdenes, convenciones y centros. Sin embargo, valdría la pena establecer que ese centro, a partir de la Declaración de Derechos Civiles en 1960, ha sido también una arena contingente: la de luchas por establecer programas académicos de Estudios sobre la Mujer, la de brechas que insertaron la categoría genérica como factor fundamental en las Investigaciones humanísticas, en las ciencias sociales y la biología.

Pero nuestra lucha nada ha tenido que ver con las épicas heroicas de los hombres ni los mitines políticos señeros, lo nuestro ha sido una lucha de embozos y rebozos, de tretas, trucos y estrategias. De una práctica política de reveses dobles. Tampoco solas, sino en el entretejido de otros grupos minoritarios, pluralidades étnicas que han puesto de manifiesto el carácter múltiple y heterogéneo de la otredad.

No obstante la diversidad de ideologías feministas durante la década de los ochenta, existió un impulso común: rescatar las voces e imágenes marginales de las mujeres del pasado, denunciar los silencios en una cultura de corte patriarcal y producir un discurso desde la mujer. Esto último claro con la convicción de las andariegas que salen, por fin a descubrir ese mundo propio, durante siglos, convertido en espacio en blanco. La aureola utópica de este proyecto fue develada por nuestro contexto de pluralidades minoritarias en el campo de fronteras difusas, intersticios y adisyunciones donde los bordes son siempre movibles.

Muy pronto nos dimos cuenta de que aquello que ingenuamente llamábamos "la mujer" era una abstracción preñada de contradicciones y diferencias que traspasaban los límites de una sencilla nominación en "la diferencia". Los discursos teóricos de las mujeres negras, latinas y lesbianas fueron, entonces, serias señales de alerta.

Dentro de los cercos de lo académico, los embozos han sido también bozales: mantener una cátedra en la universidad implica publicar (praxis acosada no sólo por paradigmas epistemológicos, sino también por las leyes de mercado impuestas al libro). De allí que cualquier desembozamiento feminista sea un parto de pactos, un desestabilizar a través de las gestualidades de una máscara. La forma convencionalmente académica de mi libro es, claro está, un pacto desde el centro y para el centro, pero con el propósito de insertar lo periférico. De modo que los pliegues y empatías del sujeto lector se empapen imperceptiblemente de fisuras.

Quiero agregar que en La mujer fragmentada se da la búsqueda de un Yo, de un origen, no paradisíaco, sino ideológico-cultural. La arqueología de este Yo que quisiera fuera mío, en ningún momento pretendió ser totalizante. Por el contrario, muchos sedimentos fueron apenas vislumbrados, piedras y arenas que quedaron en el camino como desechos paradójicamente significantes. Mi intención fue examinar, a grandes trazos, esta polifonía absurda, mañosamente astuta en una cantata hegemónica que nunca ha dejado de decir cómo es la mujer. (Muchas veces me pregunté por esta necesidad, muchas veces obsesiva, de definir a la mujer. . . Una noche, abrí mi voluminoso Diccionario de símbolos y me quedé abismada al constatar que la definición de "hombre" merecía apenas un párrafo mientras al término "mujer" se le dedicaban tantas páginas que terminé aburriéndome de leer). Voluminosa meta-narrativa patriarcal aún atada al útero, sitio desde el cual arrancan las construcciones culturales creadas alrededor del signo "mujer". Utero tamizado y retamizado por conceptos afines con los proyectos más "trascendentales" a nivel de Nación, sermones y discursos filosóficos.

En el otro doblez, el de los discursos feministas, tan escasos y dispersos en el oleaje poderoso del falogocentrismo, encontré la palabra combativa y teñida de esperanza.

Discursos que me dejaron un sabor a ingenuidad y genialidad, como si aún siguieron repicando los decires de Sor Juana Inés de la Cruz quien, de adrede se hacía la monja desplegando sus tretas del débil.

Puesto que Carlos Pérez tiene reservas con respecto a la intención feminista de <u>La Mujer Fragmentada</u> paso a explicar el objetivo alrededor del cual escribí este libro. Me pareció que analizar "lo femenino" como signo y no simplemente como dato curioso o letanía de proverbios, implicaba bucear en los mecanismo ideológicos que disfrazaron ese signo con los atavíos de lo anecdótico o la simple opinión. Tras esa *doxa* se enmascaraba un enemigo serio: el que durante siglos le adscribió a la mujer una caracterología y una conducta con la rigidez de un discurso fascista. Aquí, juro que no estoy exagerando: que el único rol posible de la mujer haya sido la maternidad, tuvo y sigue teniendo implicaciones increíblemente importantes.

Adjudicarle a esos discursos sobre "lo femenino" el valor de una meta-narrativa, con estructuraciones más o menos precisas, es, en mi opinión, más que un ademán erudito, según prejuicios con respecto a "lo académico": es legitimizar aquello que se ha mantenido como disperso, es inscribirlo en el terreno del conocimiento.

Carlos Pérez tiene toda la razón al decir que mi discurso (en los resquicios de todos los otros discursos) no desvía ni disloca al nivel más aparente del lenguaje o la forma ensayística en la que se entrega; sin embargo, sí creo que la rearticulación misma de "lo femenino" como signo apunta hacia un repensar desde una posición feminista donde "lo femenino" deja de ser prescripción, proverbio, imagen mistificada, recurso desestabilizador (Nietzsche, Derrida) o espacio tachado (Lacan). De allí que me una a la afirmación de Diamela Eltit y Raquel Olea quienes le otorgan un valor feminista al análisis de "lo femenino" en las redes de sus construcciones culturales. Es obvio que todos los intelectuales tenemos como horizonte inasequible desmantelar y dislocar los discursos ya dados; sin embargo, nuestra práctica se realiza en el terreno de pactos textuales y sólo es posible agregar un par de puntadas (a veces, terriblemente mal hechas) en el diseño ya hecho y por hacerse.

Raquel Olea y Diamela Eltit señalan acertadamente que en La mujer fragmentada se exploran de manera insuficiente los movimientos políticos del feminismo latinoamericano. Es más que indudable que, en el campo de la antropología simbólica, estrategias y códigos del cuerpo, panfletos y rituales callejeros portan una modalidad compleja y combativa del signo de "lo femenino", omitida en mi libro. Y, como comenta Raquel Olea, esto en parte se debe a la dicotomía entre producción intelectual y producción de prácticas políticas, escisión que, en el caso del feminismo latinoamericano, sigue produciendo grandes desfases.

A punto de terminar este diálogo a la distancia, surge, no sé por qué, la imagen de los formularios burocráticos en los cuales se me exige que marque una equis bajo una categoría denominada SEXO. Sólo dos alternativas tiene esta categoría: Masculino o Femenino (con mayúscula autoritaria), no obstante las acciones reivindicativas de los movimientos GAY, palabra que paradójica o proféticamente también significa "alegre", "sin preocupaciones". Son especialmente los discursos "gay" los que han establecido que "lo femenino" y "lo masculino" no constituyen más que simulacros, imágenes hechas a semejanza de esas construcciones culturales en cuyo centro giran las acotaciones de un guión ya dado. Pero que insuficiente y limitado resulta este guión para un espectrum genérico preñado de ambigüedades y fronteras

Agradezco a Raquel Olea, Carlos Pérez y Diamela Eltit sus valiosos comentarios en este debate iluminado por la convicción de que, más allá de todos los guiones teatrales, cinematográficos y caseros, exista la posibilidad de ser sujetos en los devenires de la historia y de tantas otras historias...

Irvine, California